「창의적 문제해결력」
모의고사

1회

제한시간 : 90분

초등학교　　　학년　　　반　　　번

성 명　　　　　　　　지원 부문

- 시험 시간은 총 90분입니다.
- 문제가 1번부터 14번까지 있는지 확인하시오.
- 문제지에 학교, 학년, 반, 번, 성명, 지원 부문을 정확히 기입하시오.
- 문항에 따라 배점이 다릅니다. 각 물음의 끝에 표시된 배점을 참고하시오.
- 필기구 외 계산기 등을 일체 사용할 수 없습니다.

창의적 문제해결력

01 100 이하의 자연수 중 5로 나누면 3이 남고, 6으로 나누면 5가 남는 수들의 총합을 풀이 과정과 함께 구하시오. [6점]

02 정수 0과 1을 중복하여 6번 써서 만든 것을 '헥사'라 하고, 헥사 X에 대하여 X에 나타나는 1의 개수를 $C(X)$라 하자. 예를 들어 000000, 101011, 111000은 모두 헥사이고 $C(000000)=0$, $C(101011)=4$, $C(111000)=3$이다. 서로 다른 60개의 헥사 X_1, X_2, $\cdots$, X_{60}을 마음대로 만들 때, $C(X_1)+C(X_2)+C(X_3)+\cdots+C(X_{60})$의 최댓값을 풀이 과정과 함께 구하시오. [6점]

창의적 문제해결력

03 A4 종이를 긴 변의 반으로 자른 다음, 겹쳐 쌓아올린다. 이렇게 쌓아올린 각각의 종이를 또 다시 긴 변의 반으로 잘라 쌓아올리는 것을 반복한다고 가정하자. 한 변의 길이가 1 mm보다 작아지지 않을 때까지 반으로 잘라 쌓아올렸다. 이때 쌓아올린 전체 높이는 몇 m인지 풀이 과정과 함께 구하시오. [6점]

> A4 종이의 가로 길이 : 210 mm
> A4 종이의 세로 길이 : 297 mm
> A4 종이 한 묶음(500매)의 두께 : 5 cm

04 A, B 두 사람이 가위바위보를 하여 이겼을 때는 계단을 두 칸을 올라가고, 졌을 때는 한 칸을 내려가기로 했다. 같은 계단에서 출발하여 몇 번의 가위바위보를 한 후 A는 처음 계단보다 11칸 위에, B는 5칸 위에 있었다고 할 때, A의 승률을 풀이 과정과 함께 구하시오. (단, 두 사람은 한 번도 비긴 적이 없다.) [6점]

창의적 문제해결력

05 다음에 주어진 물건들을 분류할 수 있는 수학적 기준을 4가지 서술하시오. [7점]

① _____

_____

② _____

_____

③ _____

_____

④ _____

_____

_____

_____

06 지원이는 친구 3명과 함께 사다리타기 게임으로 돈을 내어 간식을 먹기로 하여 다음과 같은 결과를 얻었다. 사다리타기 게임과 같이 선택한 번호에 따라 그 결과가 오직 하나로 결정되는 대응을 함수라고 한다. 사다리타기 게임과 같이 대응으로 설명할 수 있는 것을 5가지 찾아 이유와 함께 서술하시오. [7점]

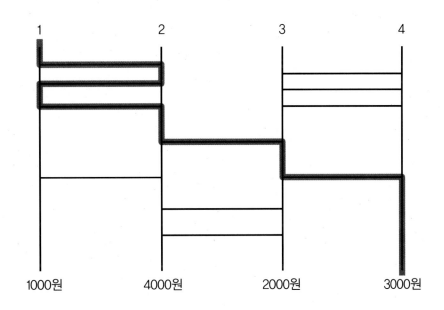

1

2

3

4

5

창의적 문제해결력

07 페르미 문제(Fermi Problem) 또는 페르미 추정(Fermi Estimate)은 어떠한 문제에 대해 기초적인 지식과 논리적 추론만으로 짧은 시간 안에 대략적인 근사치를 추정하는 방법이다. 페르미 추정은 완벽한 답이 없고 답을 내어가는 과정이 얼마나 논리적이고 창의적인지 평가할 수 있는 방법이다. 물음에 답하시오.

> · 시카고의 인구는 약 300만 명이다.
> · 가구당 구성원은 약 3명이다.
> · 피아노 보유율을 전체 가구수의 10 % 정도이다.
> · 피아노 조율은 1년에 1번 한다고 가정한다.
> · 조율사가 조율에 걸리는 시간은 이동 시간을 포함해 2시간 정도이다.
> · 조율사는 하루 8시간, 주 5일, 1년에 50주 일한다.

(1) 주어진 내용을 활용하여 시카고의 적정 피아노 조율사 수를 페르미 추정을 이용하여 구하시오. [4점]

(2) **(1)**의 문제와 같이 페르미 추정 방법을 활용하여 해결할 수 있는 주제를 10가지 서술하시오. [8점]

1 _____

2 _____

3 _____

4 _____

5 _____

6 _____

7 _____

8 _____

9 _____

10 _____

_____

_____

_____

_____

_____

_____

_____

08 지구의 한 표면에서 지구 중심 방향으로 구멍을 뚫어 지구 반대편까지 이어지도록 만들었다. 이 구멍 위에서 사과를 잡고 있다가 놓는다면, 사과는 어떤 운동을 하게 될지 작용하는 힘과 관련지어 서술하시오. [6점]

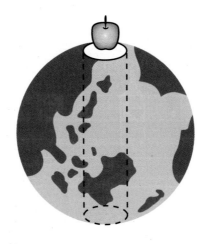

09 다음과 같이 식물을 화분에 심고, 그 주변에 돌을 까는 것을 종종 볼 수 있다. 이렇게 식물 근처에 돌을 깔면 좋은 이유를 물의 증발 현상과 관련지어 서술하시오. [6점]

창의적 문제해결력

10 빛의 파장과 광합성량의 관계를 알아보기 위해서 받침유리 위에 해캄과 호기성 세균을 놓고 덮개유리로 덮은 다음, 암실에 두었다. 이때 프리즘으로 분광된 빛을 쪼였더니 다음과 같은 결과가 나왔다. 이 실험을 통해 알 수 있는 점을 4가지 서술하시오. [6점]

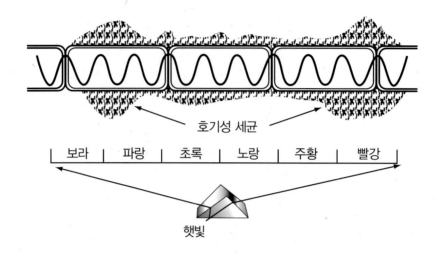

1

2

3

4

11 다음은 석회동굴이 만들어지는 원리를 알아보기 위한 실험이다. 실험 (가), (나), (다)는 석회동굴에서 각각 무엇이 만들어지는 과정에 해당하는지 쓰고, 실험 (다)에서 발생하는 기체의 이름을 쓰시오. [6점]

> • 실험 (가) : 석회수가 들어 있는 병에 빨대로 입김을 불어 넣었더니 석회수가 뿌옇게 흐려졌다.
> • 실험 (나) : 뿌옇게 흐려진 석회수에 계속해서 입김을 불었더니 석회수가 다시 맑아졌다.
> • 실험 (다) : 맑아진 석회수를 가열하였더니 기체가 발생하면서 석회수가 다시 뿌옇게 흐려졌다.

실험 (가)

실험 (나)

실험 (다)

실험 (다)에서 발생하는 기체의 이름

창의적 문제해결력

12 다음은 비행기에서 낙하산을 매고 자유낙하로 떨어지던 스카이다이버가 낙하산을 펼치고 얼마 지나지 않아 지면에 착지한 모습을 시간에 따른 속력 그래프로 나타낸 것이다. 스카이다이버가 낙하하는 동안의 속력 변화를 구간 (가)~(라)에서 작용하는 힘과 관련지어 서술하시오. [7점]

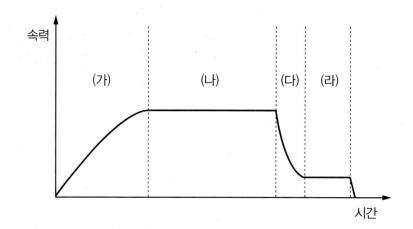

구간 (가)

구간 (나)

구간 (다)

구간 (라)

13 다음은 연도에 따라 온실효과를 일으키는 대기 중의 온실기체에 의한 기온 증가량을 나타낸 그래프이다. 온실기체 중에서 이산화 탄소는 대기 중에 잔류하는 시간이 100~250년, 메테인은 12년, 일산화 이질소는 120년이다. 이렇게 잔류하는 시간이 길기 때문에 온실기체가 방출되는 한 온실기체의 농도는 계속 증가할 것이다. 온실기체의 농도 증가로 인하여 지구가 받을 수 있는 영향을 5가지 서술하시오. [7점]

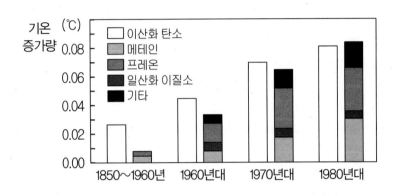

①

②

③

④

⑤

창의적 문제해결력

14 다음은 차세대 신교통 시스템인 자기부상열차에 대한 기사 내용이다. 물음에 답하시오.

[기사]

인천공항 1터미널과 용유역 사이의 6.1 km를 잇는 열차는 자기부상열차이다. 도시형 자기부상열차 실용 사업에 따른 시범노선으로 선정되어 건설되었으며 2016년 2월 3일 개통하였다. 이 노선에 운행되는 차량의 이름은 에코비이다. 현재 배차 간격이 15분이며 이용료는 무료이다. 공항철도 인천국제공항 1터미널역 2층에서 탈 수 있다.

자기부상열차는 자석의 같은 극끼리 밀치고 다른 극끼리 당기는 힘을 이용해 차량을 선로 위로 띄워서 움직이는 열차를 말한다. 보통 자기부상열차라고 하면 상하이 도심과 푸둥 공항을 연결하는 열차처럼 초고속 열차를 생각하는 경우가 많다. 하지만 국내에서 개발하는 자기부상열차는 중저속 도시형 자기부상열차다. 교외와 도심을 연결하는 것이 아니라, 도시 내에서 지하철이나 경전철을 대신하는 용도로 개발하고 있기 때문이다. 자기부상열차가 성공적으로 상용화돼 향후 최첨단 녹색 교통 시스템으로 자리 잡기를 기대해 본다.

(1) 신교통 시스템은 버스와 지하철 양쪽의 장점을 취하는 교통수단이다. 여기서 한 발 더 나아간 것이 차세대 신교통 시스템으로 이 중 대표주자로 손꼽히는 것이 자기부상열차이다. 도시형 자기부상열차의 장점을 3가지 서술하시오. [4점]

① _____

② _____

③ _____

(2) 도시형 자기부상열차는 강력한 영구 자석을 사용하여 열차를 띄우거나, 전자석이 철판에 달라붙으려는 힘으로 열차를 띄운다. 반면 초고속 열차는 열차 바닥에 초전도 자석을 놓고 레일에 전자석을 놓아 만든다. 초전도 자석을 이용한 자기부상열차의 원리와 장점을 추리하여 서술하시오. [8점]

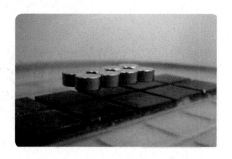

> 원리

> 장점

「창의적 문제해결력」
모의고사

제한시간 : **90**분

초등학교   학년   반   번

성 명   지원 부문

- 시험 시간은 총 90분입니다.
- 문제가 1번부터 14번까지 있는지 확인하시오.
- 문제지에 학교, 학년, 반, 번, 성명, 지원 부문을 정확히 기입하시오.
- 문항에 따라 배점이 다릅니다. 각 물음의 끝에 표시된 배점을 참고하시오.
- 필기구 외 계산기 등을 일체 사용할 수 없습니다.

창의적 문제해결력

01 11층 높이의 건물이 있다. 이 건물의 어떤 층에서 물건 A를 떨어뜨리면 그 물건은 깨지는데 그보다 낮은 층에서 떨어뜨리면 깨지지 않는다고 한다. 똑같은 물건 두 개를 이용하여, 이 물건이 깨지게 되는 가장 낮은 층을 찾으려고 한다. 이때 물건을 최소한 몇 번 떨어뜨려야 하는지 쓰고 그 이유를 서술하시오. [6점]

떨어뜨리는 횟수

이유

02 그림과 같이 직사각형을 9개의 정사각형으로 나누었을 때, 정사각형 A, C, G의 넓이를 각각 구하시오. (단, 정사각형 A는 검은 부분이고, 정사각형 H와 I의 넓이는 각각 64, 81이다.) [6점]

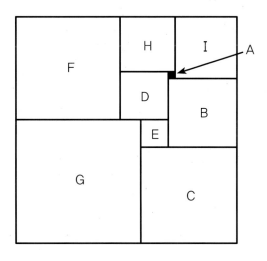

A의 넓이

C의 넓이

G의 넓이

창의적 문제해결력

03 n이하의 자연수를 4번 취하여 밑면의 세 변과 높이를 길이로 하는 삼각기둥의 수를 $F(n)$이라 할 때, $F(7)$의 값을 구하시오. [6점]

04 예현이네 반에서 반 대항 농구대회에 출전할 대표선수를 선발하려고 한다. 반대표 선수 5명 중 4명은 선발하고, 나머지 한 명은 A, B 두 명의 학생 중에서 선발하기로 하였다. 농구대회 전에 두 학생을 포함한 팀을 구성하여 10회 경기를 한 후 득점이 고른 학생을 선발하려고 한다. 다음 득점 현황을 통해 A, B 학생 중 누구를 선발해야 할지 쓰고, 그 이유를 수학적으로 서술하시오. [6점]

〈 두 학생의 10회 경기 득점 현황 〉

(단위 : 점)

회	1	2	3	4	5	6	7	8	9	10
A 학생의 득점	9	10	10	9	9	7	10	9	10	7
B 학생의 득점	10	10	9	8	9	10	9	7	9	9

대표선수

이유

05 다음은 70 kg 남자 성인이 하루 50분씩 일주일에 3회 운동했을 때의 신체활동별 칼로리 소비량을 조사하여 만든 그래프이다. 이 그래프를 보고 알 수 있는 사실을 5가지 서술하시오. [7점]

걷기 698
배드민턴 826
헬스장운동 1,010
조깅/수영 1,286
등산/자전거 1,470
축구 1,837
스쿼시 2,205
(단위 : kcal)

① _____

_____

② _____

_____

③ _____

_____

④ _____

_____

⑤ _____

_____

06 다음은 아폴로니우스가 제안한 흥미로운 문제이다. 다음과 같이 주어진(고정된) 세 개의 원에 동시에 접하는 원을 찾아 모두 그리시오. [7점]

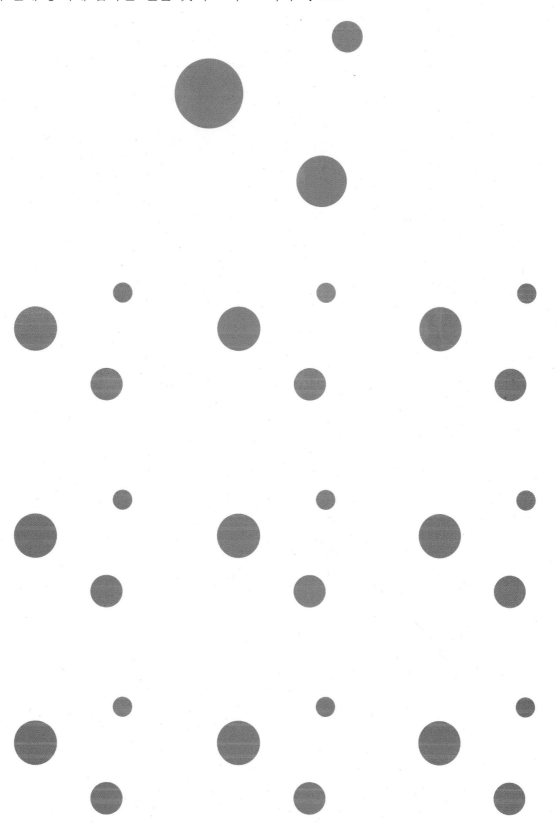

창의적 문제해결력

07 다음은 시중에서 판매되고 있는 다양한 모양의 보온병이다. 현숙이가 등산용 보온병을 고르려고 한다. 물음에 답하시오.

(1) 등산을 다닐 때 사용할 보온병을 고를 때 고려해야 할 사항을 4가지 서술하시오.

[4점]

1 _____

2 _____

3 _____

4 _____

_____

_____

_____

(2) 다음은 4가지 서로 다른 모양의 보온병에 대하여 조사한 표이다. 가장 적절하다고 생각되는 보온병을 선택하고 그 이유를 논리적으로 서술하시오. [8점]

구분	가	나	다	라
밑면의 반지름(cm)	2	3	5	10
높이(cm)	20	20	30	5
겉넓이(cm²)	$8\pi+80$	$18\pi+120$	$50\pi+300$	$200\pi+100$
부피(cm³)	80π	180π	300π	500π
들이(mL)	75	150	200	350
내용물의 온도가 10 ℃ 변하는 데 걸리는 시간	50분	3시간	4시간	5시간

보온병

이유

창의적 문제해결력

08 다음은 온도에 따라 액체의 부피가 변한다는 사실을 처음 발견한 갈릴레이의 이름을 따서 만든 갈릴레이 온도계이다. 이 온도계는 물이 들어 있는 실린더에 서로 다른 색깔의 기름이 담긴 유리 구슬들이 있다. 구슬 밑에는 온도를 표시한 작은 금속판이 달려 있고, 가장 낮게 떠 있는 유리 구슬이 현재의 온도를 나타낸다. 갈릴레이 온도계의 원리를 추리하여 서술하시오. [6점]

09 (+)전하로 이온화된 분자 또는 원자에 자기장을 걸어주면, 분자 또는 원자의 질량에 따라 휘어지는 정도가 달라진다. 이를 통해 검출된 이온의 수를 세어 그 물질에 어떤 분자나 원자가 얼마나 포함되어 있는지 알 수 있는 장치가 질량 분석기이다. 다음 그래프는 자연 상태의 마그네슘을 질량 분석기로 분석하여 얻은 자료이다. 그래프의 검출 강도와 관련이 있는 것이 무엇인지 쓰고, 이 결과를 통해 돌턴의 원자설에서 잘못된 부분을 찾아 그 내용을 바르게 고치시오. [6점]

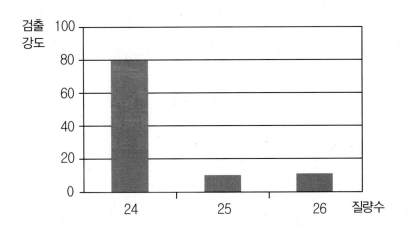

그래프의 검출 강도과 관련 있는 것

돌턴의 원자설의 잘못된 부분과 수정 사항

10 골수 이식은 환자의 혈액에 DNA를 파괴하는 X선을 쪼여 혈액에서 불량한 백혈구를 제거한 다음, 건강한 골수를 이식한다. 그리고 건강한 백혈구가 다시 생성되어 나오기 전까지는 무균실에서 보낸다. 골수 이식 수술을 받는 백혈병 환자의 혈액에 X선을 쪼이면 적혈구와 백혈구 둘 다 쪼여지지만, 적혈구는 파괴되지 않고 백혈구만 파괴되는 이유를 서술하시오. [6점]

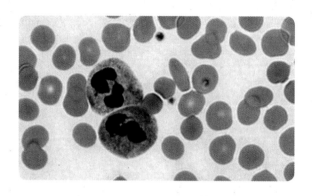

_____

_____

_____

_____

_____

_____

_____

_____

11 다음 그림은 우리나라 주변의 해류의 흐름과 2월의 평균 수온을 나타낸 것이다. 우리나라 황해에는 주로 난류가 유입되고, 동해에는 난류와 한류가 만나 조경수역을 이룬다. 동해에는 한류가 유입되지만 겨울철에 같은 위도상에 있는 황해보다 동해의 기온이 약 2℃ 높다. 그 이유를 서술하시오. [6점]

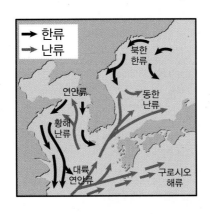 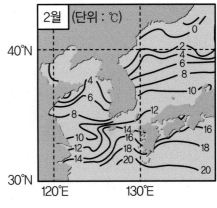

08 다음 그림은 스스로 움직이는 물 마시는 장난감 새의 모습이다. 몸통은 유리병으로 되어 있는데 새의 머리까지 유리관으로 연결되어 있고, 그 안에는 에탄올이 들어 있다. 또 새의 머리는 헝겊으로 덮어 씌워져 있고, 그 앞 컵 안에는 물이 들어 있다. 이 장난감 새가 스스로 움직여 물을 마실 수 있는 원리를 추리하여 서술하고, 새의 움직임을 더 빠르게 하는 방법을 3가지 서술하시오. [7점]

> 물 먹는 장난감 새의 원리

> 새의 움직임을 빠르게 하는 방법

①

②

③

13 다음은 대장암의 발병률을 82년부터 05년까지 연도별로 나타낸 것이다. 암 중에서 가장 발병률이 높은 암은 위암으로 위암의 발병률은 82년보다 감소한 데 비해서 대장암은 82년부터 꾸준히 증가하고 있다. 대장암은 변비와 쓸개즙의 생산이 많아져서 발생하게 된다. 이렇게 우리나라의 대장암 발병률이 위암에 비해 많이 증가한 이유를 발생 원인과 관련지어 3가지 서술하시오. [7점]

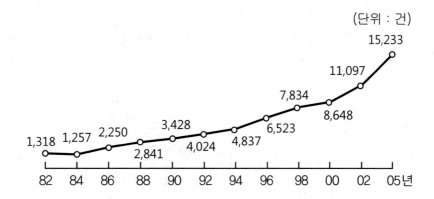

1 _____

_____

_____

2 _____

_____

_____

3 _____

_____

_____

14 다음은 막힌 곳을 뚫어주는 뚫어뻥의 원리에 대한 설명이다. 물음에 답하시오.

[기 사]

뚫어뻥은 변기나 주방 등의 막힌 부분을 공기의 압력차를 이용하여 뚫는 도구로 압축기의 일종이다. 앞부분이 반원형의 고무로 되어 있어서 그 부위의 압력차를 이용하는 것과 피스톤 식으로 막힌 부분에 갖다 대고 손잡이를 끌어당기는 형식의 것 등 다양하나 원리는 동일하다. 즉, 공기 압력차에 의해 관 아래쪽에 있는 다량의 공기(또는 물)를 순식간에 관 속으로 주입함으로써 물의 흐름을 막는 장애물을 밀어내는 것이다. 이때 장애물이 관 내벽과 마찰을 일으키면서 크기나 모양이 변형되어 빠져나가게 된다. 뚫어뻥의 고무 부분에 작용하는 기압차가 클수록 작용하는 힘이 세어지기 때문에, 공기를 빼낼 때는 가급적 완전히 빼내고 당길 때도 확실히 당겨주어야 한다. 금방 뚫어지지 않을 때에는 밀고 당기는 과정을 몇 번 반복하면 막혀 있던 부분에 압력이 가해져 이물질이 들어갔다 나왔다 움직이면서 결국 아래로 빠져나가거나 위쪽으로 올라온다. 이렇게 하면 막혔던 부분이 뚫어진다.

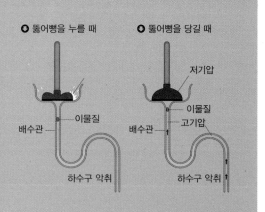

(1) 뚫어뻥은 위 그림처럼 뚫어뻥을 누를 때와 당길 때 생기는 압력 변화를 이용하여 막힌 변기를 시원하게 '뻥' 뚫어준다. 뚫어뻥의 원리를 공기의 압력 변화를 이용하여 서술하시오. [4점]

_____

_____

_____

_____

_____

_____

(2) 다음 사진은 장풍 뚫어뻥으로, 변기 위에 놓고 손자국이 표시된 가운데에 발이나 손을 올려놓은 뒤 2~3번 장풍을 불어내듯이 눌러주면 깔끔하게 뚫린다. 이처럼 기존의 뚫어뻥 대신 막힌 변기를 깔끔하게 뚫을 수 있는 아이디어를 두 가지 고안하여 서술하시오. [8점]

1

2

「창의적 문제해결력」 모의고사 ②회

「창의적 문제해결력」
모의고사

3회

제한시간 : **90분**

초등학교 　　　　 학년 　　　 반 　　　 번

성 명 ┃　　　　　　　　　　 지원 부문 ┃

- 시험 시간은 총 90분입니다.
- 문제가 1번부터 14번까지 있는지 확인하시오.
- 문제지에 학교, 학년, 반, 번, 성명, 지원 부문을 정확히 기입하시오.
- 문항에 따라 배점이 다릅니다. 각 물음의 끝에 표시된 배점을 참고하시오.
- 필기구 외 계산기 등을 일체 사용할 수 없습니다.

01 다음 그림과 같이 직사각형 ABCD가 있다. 점 B를 출발한 점 P가 사각형의 변을 따라 점 C를 거쳐 점 D까지 움직인다. 점 P가 움직인 거리를 x, 삼각형 ABP의 넓이를 y라 할 때, $0<x\leq6$이면 $y=ax+b$, $6<x<10$이면 $y=cx+d$의 관계식이 성립한다. $ad-bc$의 값을 풀이 과정과 함께 구하시오. [6점]

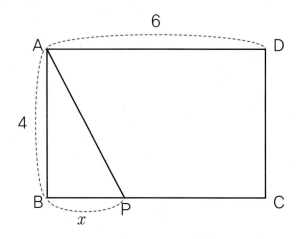

_____

_____

_____

_____

_____

_____

_____

_____

02 다음 그림에서 선으로 연결되어 있는 세 개의 □ 중 가운데에 있는 □가 양 끝에 있는 두 □의 평균일 때, A, B, C, D, E에 알맞은 수를 풀이 과정과 함께 구하시오.

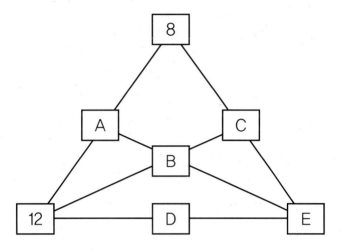

_____

_____

_____

_____

_____

_____

_____

_____

_____

_____

_____

창의적 문제해결력

03 P를 볼록 다면체라 하자. P는 26개의 꼭짓점과 60개의 모서리, 36개의 면을 가지고 있다. 36개의 면 중 24개는 삼각형이고, 12개는 사각형이다. 이때, P의 공간 대각선은 모두 몇 개인지 풀이 과정과 함께 구하시오. (단, 공간 대각선이란 같은 면에 포함되지 않은 두 꼭짓점을 이은 선분을 말하며 그림을 이용하지 말고 논리적으로 설명하도록 한다.) [6점]

04 준석, 병호, 형우, 호준이는 모두 다른 과목을 좋아한다. 4명 모두 한 가지만 맞게 말했다면 네 학생이 각각 좋아하는 과목을 풀이 과정과 함께 구하시오. [6점]

> • 형우 : 준석이는 영어를 좋아하고, 병호는 수학을 좋아한다.
> • 호준 : 형우는 과학을 좋아하고, 병호는 영어를 좋아한다.
> • 준석 : 호준이는 영어를 좋아하고, 형우는 수학을 좋아한다.
> • 병호 : 호준이는 과학을 좋아하고, 준석이는 국어를 좋아한다.

창의적 문제해결력

05 다음은 현재 인구를 실시간으로 표현하는 인구시계이다. 하지만 실제 현재의 인구와 같지 않다. 이처럼 어떤 내용에 수를 사용해 표현하면 더 정확하게 느끼며 믿을 수 있는 자료라는 생각이 든다. 현재의 인구와 같이 정확하지는 않지만 편의를 위해 수로 표현하는 것들을 찾아 5가지 서술하시오. [7점]

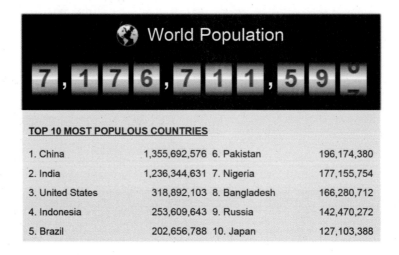

1

2

3

4

5

06 다음 그림 중 한 장을 골라 수학과 관련된 제목으로 신문기사를 200자 내외로 작성하시오. (단, 수학과 관련된 어떤 주제라도 가능하다.) [7점]

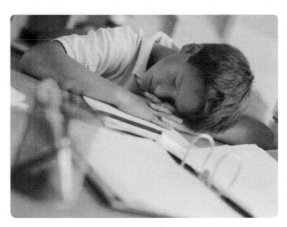

〈그림 1〉

〈그림 2〉

선택한 그림

신문기사

07 다음은 교육과학기술부가 발표한 다문화가정 초, 중, 고 학생 수를 나타낸 그래프이다. 물음에 답하시오.

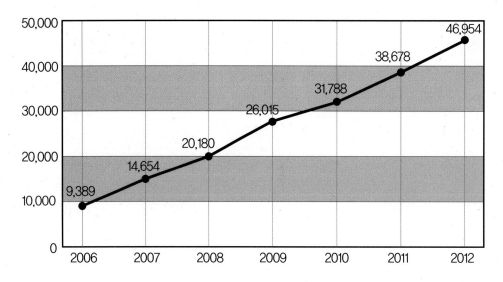

(1) 그래프를 보고 알 수 있는 사실을 4가지 서술하시오. [4점]

① _____

② _____

③ _____

④ _____

_____

_____

(2) 2020년이 되면 다문화가정 초, 중, 고 학생 수는 몇 명이 되겠는가? 그래프를 통해 예상할 수 있는 두 가지 방법으로 예상하여 서술하시오. [8점]

① _____

② _____

창의적 문제해결력

08 다음 그림과 같이 골목길의 모퉁이를 돌기 전까지 사람은 볼 수 없으나 사람이 내는 소리는 들을 수 있다. 골목길 모퉁이를 돌기 전에 사람의 소리는 들을 수 있지만 모습은 볼 수 없는 이유를 서술하시오. [6점]

09 다음 그림 (가)는 드라이아이스, 그림 (나)는 다이아몬드의 결합 모형을 나타낸 것이다. 두 물질 중에 다이아몬드가 드라이아이스보다 끓는점과 녹는점이 높다. 결합 모형을 참고하여 두 물질의 끓는점과 녹는점이 다르게 나타나는 이유를 서술하시오. [6점]

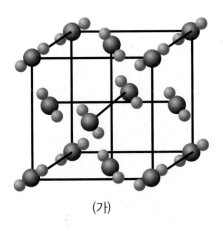

(가)

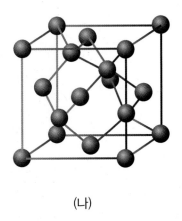

(나)

창의적 문제해결력

10 운동을 하지 않다가 무리하게 운동을 하면 근육에 피로가 쌓여 근육 통증이 생긴다. 근육에 피로가 쌓여 있을 때에는 근육을 살짝 건드리기만 하여도 근육 통증 때문에 몸을 움츠리게 되고, 이러한 증상은 며칠 동안 계속될 수 있다. 갑자기 격렬한 운동을 하면 근육이 붓고 통증이 생겨 몸을 움직이기 불편한 이유를 추리하여 서술하시오. [6점]

11 지구는 대기가 있기 때문에 대기가 없는 다른 행성과는 다른 다양한 환경이 나타난다. 만약 대기가 없는 행성과 같이 지구에 대기가 없다면 지금과는 어떻게 달라졌을까? 그 이유와 함께 6가지 서술하시오. [6점]

① _____

_____

② _____

_____

③ _____

_____

④ _____

_____

⑤ _____

_____

⑥ _____

_____

창의적 문제해결력

12 다음은 처음 한 번만 구동시키면 추가로 에너지를 공급하지 않아도 영구히 작동하는 영구 기관의 모습이다. 왼쪽은 바퀴의 테두리에 수은을 넣어 바퀴를 돌리면 축의 한쪽이 항상 무거워서 계속 돌아갈 수 있는 영구 기관이고, 오른쪽은 레오나르도 다빈치가 고안한 것으로 바퀴를 돌리면 경사면의 기울기에 의해 공이 굴러 힘을 가하게 되어 끝없이 돌아가는 영구 기관이다. 하지만 이러한 영구 기관은 실제로 만들 수 없다. 만들 수 없는 이유와 모순점을 서술하시오. [7점]

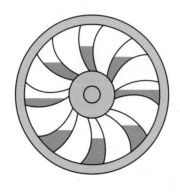 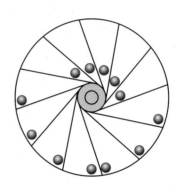

> ### 영구 기관을 만들 수 없는 이유

> ### 영구 기관의 모순점

---

13 오염된 강에서는 고기가 죽어서 물 위에 떠올라 있는 모습을 흔히 볼 수 있다. 오염된 물에서는 용존 산소량이 감소하기 때문에 물속의 생물들이 살지 못하고, 물이 부패하여 악취가 난다. 물의 오염을 줄이려면 물속에 많은 양의 산소가 유입되도록 해야 한다. 가정에서 사용한 폐식용유를 하수구에 직접 버리는 것이 물 오염의 큰 원인이 되는 이유를 서술하고, 오염된 물을 깨끗하게 할 수 있는 방법을 5가지 서술하시오. [7점]

폐식용유가 물 오염의 큰 원인인 이유

오염된 물을 깨끗하게 할 수 있는 방법

1

2

3

4

5

창의적 문제해결력

14 다음은 전 세계 나무의 70 %가 위기에 처한 상황에 대한 기사의 일부분이다. 물음에 답하시오.

[기사]

말레이시아 보르네오섬에 사는 오랑우탄 가운데 약 80 %가 보호림 밖에서 살고 있다는 연구 결과가 최근 발표돼 동물보호론자들에게 충격을 안겨줬다. 보르네오섬과 더불어 오랑우탄의 서식 밀도가 가장 높은 인도네시아 수마트라섬도 오랑우탄이 위협받고 있는 것으로 드러났다.
이런 가운데 최근 대부분의 숲에 서식하는 나무에서 탈수 현상이 관찰되었다는 세계 삼림 조사 결과가 발표돼 충격을 안겨주고 있다.
한편, 열대와 아열대의 갯벌이나 하구에서 자라는 맹그로브 숲도 위기에 처해 있는 것으로 나타났다.

(1) 신멸종위기종인 오랑우탄이 좋아하는 서식지는 원래 평지림이다. 그런데 오랑우탄 보호림 지정은 고지대와 산악지대로 한정되어 정작 오랑우탄 보호가 제대로 되고 있지 않다. 또한 현재 전 세계에서 1분마다 약 0.38 km²의 원시림이 사라지고 있다. 이와 같이 원시림이 점점 사라지고 있는 원인을 5가지 서술하시오. [4점]

1 _____

2 _____

3 _____

4 _____

5 _____

_____

_____

(2) 열대와 아열대의 갯벌이나 하구에서 자라는 맹그로브 숲은 '조류의 숲'으로 불린다. 이 숲의 파괴 속도는 전 세계 숲의 파괴 속도보다 3~5배 더 빨라 문제가 되고 있다. 맹그로브 숲이 파괴되는 이유는 약 38 %가 새우 양식, 그 외 14 %가 다른 양식을 위해 나무를 베어내기 때문이다. 양식업을 위해 맹그로브 숲을 없애는 행위는 오히려 야생 어업을 무너뜨리는 등 환경에 매우 나쁜 영향을 미친다. 맹그로브 숲이 환경에 미치는 영향을 4가지 서술하시오. [8점]

① _____

_____

② _____

_____

③ _____

_____

④ _____

_____

_____

_____

「창의적 문제해결력」 모의고사 ③회

「창의적 문제해결력」
모의고사

4회

제한시간 : **90분**

초등학교 　　　 학년 　　　 반 　　　 번

성 명 ❭ 　　　　　　　　　　 지원 부문 ❭

- 시험 시간은 총 90분입니다.
- 문제가 1번부터 14번까지 있는지 확인하시오.
- 문제지에 학교, 학년, 반, 번, 성명, 지원 부문을 정확히 기입하시오.
- 문항에 따라 배점이 다릅니다. 각 물음의 끝에 표시된 배점을 참고하시오.
- 필기구 외 계산기 등을 일체 사용할 수 없습니다.

창의적 문제해결력

01 다음은 동전 던지기를 이용하여 A, B 두 사람이 게임 순서를 정하기 위해 규칙을 만든 것이다. 세 규칙이 공정한지 확률을 이용하여 각각 서술하고, 공정하지 않은 규칙을 수정하시오. [6점]

> 〈규칙 1〉
> 한 개의 동전을 던져 앞면이 나오면 A가 먼저 게임을 하고,
> 뒷면이 나오면 B가 먼저 게임을 한다.
> 〈규칙 2〉
> 두 개의 동전을 던져 모두 같은 면이 나오면 A가 먼저 게임을 하고,
> 서로 다른 면이 나오면 B가 먼저 게임을 한다.
> 〈규칙 3〉
> 세 개의 동전을 던져 모두 같은 면이 나오면 A가 먼저 게임을 하고,
> 서로 다른 면이 나오면 B가 먼저 게임을 한다.

　세 규칙의 확률 비교

　공정하지 않은 규칙 수정

02 다음 그림과 같이 닮음비가 1 : 3인 두 주전자 A, B가 있다. 부피에 대한 겉넓이가 큰 주전자가 빨리 식는다고 할 때, A 주전자는 B 주전자보다 식는 속도가 몇 배 더 빠른지 풀이 과정과 함께 구하시오. (단, 주전자의 식는 속도는 $\dfrac{겉넓이}{부피}$에 비례한다.) [6점]

03 다음 그림과 같은 삼각형 모양의 땅을 형과 동생이 똑같은 크기로 나누어 가지려고 한다. △ABC의 변 AC 위에 한 점 P를 잡고, 변 BC 위에 다른 한 점 Q를 잡았을 때 $\overline{PQ}$로 △ABC를 이등분하는 점 Q의 위치를 그림에 표시하고, $\overline{PQ}$가 △ABC의 넓이를 이등분함을 서술하시오. [6점]

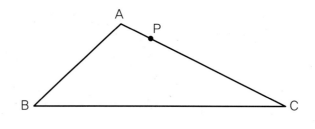

04 현숙이와 예현이는 100개의 성냥개비를 일렬로 놓은 후 게임을 하기로 했다. 게임 규칙은 한 번에 성냥개비를 한 개에서 세 개까지 가지고 갈 수 있으나 연속해 있는 성냥개비만 가져갈 수 있다. 이렇게 한 번씩 돌아가면서 성냥개비를 가져가다가 마지막 성냥개비를 가져가는 사람이 이긴다. 게임을 먼저 시작하는 사람이 항상 이길 수 있는 방법을 논리적으로 서술하시오. [6점]

창의적 문제해결력

05 원과 정사각형의 위치에 따라 교점의 개수가 달라진다. 교점의 개수가 1개인 경우부터 최대인 경우까지 각 경우의 예를 그림으로 표현하시오. [7점]

06 다음 사각형의 내각의 합이 360°임을 세 가지 방법으로 서술하시오. [7점]

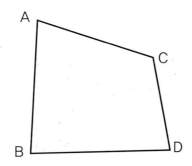

1

_____

_____

_____

2

_____

_____

_____

3

_____

_____

_____

_____

창의적 문제해결력

07 다음은 네덜란드 출신의 판화작가 M.C.에셔(Maurits Cornelis Escher, 1898~1972)의 작품이다.

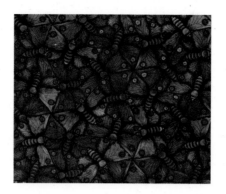

위 작품과 같이 동일한 모양을 이용해 틈이나 포개짐 없이 평면이나 공간을 완전하게 덮는 것을 테셀레이션이라고 한다. 테셀레이션은 우리 생활에서 흔히 볼 수 있는데 화장실의 벽면을 덮은 타일의 문양에서도 볼 수 있다.

한 가지 정다각형으로만 테셀레이션을 하는 것을 '정다각형 테셀레이션'이라고 정의할 때, 정다각형 테셀레이션은 한 종류의 정다각형 여러 개를 한 꼭짓점에 모아 평면을 빈틈없이 채워야 한다.

(1) 위에서 설명한 '정다각형 테셀레이션'이 가능한 정다각형의 종류를 모두 나열하고, 그렇게 생각한 이유를 논리적으로 서술하시오. [4점]

종류

이유

(2) 안쌤 아파트 단지 내 도로 바닥을 새롭게 다지인한 타일로 교체하려고 한다. 다음 조건에 맞는 테셀레이션을 이용한 멋진 바닥을 디자인하시오. (단, 테셀레이션을 확인할 수 있는 그림으로 그리시오.) [8점]

〈조건 1〉 정사각형 모양의 타일을 사용한다.

〈조건 2〉 정삼각형 모양의 타일을 사용한다.

〈조건 3〉 타일이 만나는 부분들을 규칙적으로 배열한다.

〈조건 4〉 정사각형과 정삼각형을 제외한 정다각형 모양의 타일을 꼭 사용한다.

창의적 문제해결력

08 다음은 경로가 세 가지인 롤러코스터의 레일을 나타낸 것이다. 같은 롤러코스터를 각각의 경로를 지나게 했을 때 가장 빠른 속력으로 도착한 롤러코스터는 어느 경로를 지나는 것인지 이유와 함께 서술하고, 어느 경로를 거친 롤러코스터가 가장 먼저 도착하는지 이유와 함께 서술하시오. (단, 모든 지점에서 레일과 롤러코스터 사이의 마찰은 없다.) [6점]

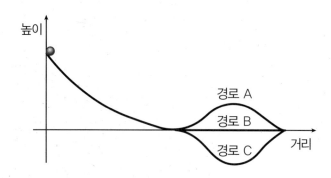

가장 빠른 속력으로 도착한 롤러코스터

가장 먼저 도착하는 롤러코스터

09 다음은 기온이 −5 ℃인 실험실에서 얼음덩어리 위에 무거운 추를 양쪽에 매단 철사를 올려놓았더니 철사가 얼음을 통과하여 얼음 밑으로 떨어졌다. 얼마 후 철사가 지나가 면서 잘렸던 얼음이 다시 얼어붙어 하나가 되었다. 얼음이 잘린 이유와 얼음이 다시 붙은 이유를 각각 서술하시오. [6점]

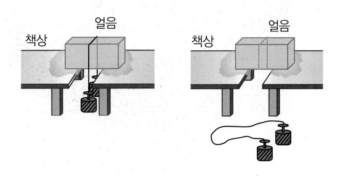

얼음이 잘린 이유

얼음이 다시 붙은 이유

창의적 문제해결력

10 우주 공간에 도착한 우주인의 절반 정도가 처음 며칠 동안 메스꺼움과 구토, 어지러움 등을 느낀다. 심한 경우는 착시 현상을 겪기도 하는데 이를 우주 멀미라고 한다. 우주 멀미가 일어나는 원인을 추리하여 서술하시오. [6점]

_____

_____

_____

_____

_____

_____

_____

_____

_____

11 다음 그림은 남극 상공의 오존층 모습을 인공위성으로 촬영한 모습이다. 그림에서 어두운 부분은 오존의 농도가 낮은 곳을 나타낸다. 만약 성층권의 오존층이 모두 파괴되었다면 일어날 수 있는 현상을 5가지 서술하시오. [6점]

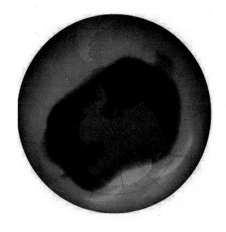

① _____

_____

② _____

_____

③ _____

_____

④ _____

_____

⑤ _____

_____

_____

12 다음은 A~D 원자의 모형을 이차원으로 나타낸 모습이다. 서로 다른 원자들이 2원자 분자를 이룬다면 가장 강한 결합을 할 것으로 예상되는 결합쌍과 가장 약한 결합을 할 것으로 예상되는 결합쌍을 이유와 함께 서술하시오. (단, 모양과 접촉된 모서리에 의해서 원자 사이의 결합력이 결정된다.) [7점]

A   B   C   D

> 가장 강한 결합을 하는 결합쌍

_____

_____

_____

_____

> 가장 약한 결합을 하는 결합쌍

_____

_____

_____

_____

_____

13 생장 호르몬은 20대부터 10년마다 14 %씩 분비량이 감소하고, 나이가 65세가 되면 그 양이 20대보다 1/3 수준으로 감소한다. 이 생장 호르몬이 정상보다 많이 분비되면 평균 몸집보다 큰 거대한 몸집을 가지게 되고 적게 분비되면 왜소한 몸집을 가지게 된다. 최근에는 생장 호르몬이 노화 방지의 목적으로 사용되기도 한다. 이 생장 호르몬을 이용하여 생장의 속도를 인위적으로 변화시킨다면 좋은 점과 나쁜 점에 대한 생각을 다양한 관점에서 3가지 서술하시오. [7점]

1

2

3

창의적 문제해결력

14 다음은 바다의 산성화에 대한 기사 내용이다. 물음에 답하시오.

[기 사]

현재 누구도 부인할 수 없는 사실 가운데 하나는 대기 중 이산화 탄소 농도가 계속해서 증가하고 있다는 사실이다. 산업 시대 이전에 260~280 ppm 사이를 장기간 유지했던 이산화 탄소의 대기 중 농도는 인류가 막대한 화석 연료를 태우면서 점차 늘어나 2012년 10월에는 391 ppm까지 증가했고 최근에는 매년 2 ppm씩 평균적으로 증가하고 있다.

이렇게 증가한 대기 중 이산화 탄소의 상당 부분은 대기에서 다시 바다로 녹아 들어가게 된다. 상당량의 이산화 탄소가 일단 바다로 흡수되기 때문에 대기 중의 이산화 탄소 농도가 더 급격하게 증가하지 않는 장점도 있다. 문제는 이산화 탄소가 바다에 녹아 들어가면 탄산을 형성하기 때문에 바다가 산성화 된다는 사실이다.

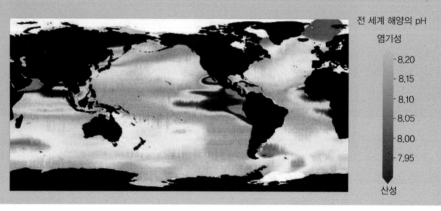

전 세계 해양의 pH

염기성

- 8.20
- 8.15
- 8.10
- 8.05
- 8.00
- 7.95

산성

(1) 동해가 지구 온난화로 급격한 환경 변화를 겪고 있다. 동해의 pH는 지난 10년간 0.04나 떨어져, 세계 바다 평균보다 2배나 빠르게 산성화되고 있다. 동해의 산성화 속도가 빠른 이유를 동해를 지나는 표층 해류의 성질을 바탕으로 추리하여 서술하시오. [4점]

_____

_____

_____

_____

(2) 최근 동해에서는 가리비 종패들이 피해를 보고 있고, 바지락, 굴, 홍합 등 어패류가 폐사되거나 종패가 잘 자라지 않는 현상이 나타나고 있다. 전문가들은 그 원인을 바다의 산성화로 보고 있다. 바다가 산성화되는 것이 생태계에 어떠한 영향을 미치는지 추리하여 4가지 서술하시오. [8점]

① _____

② _____

③ _____

④ _____

「창의적 문제해결력」 모의고사 4회

안쌤의
창의적 문제해결력 시리즈

초등 1~2 학년

초등 3~4 학년

초등 5~6 학년

중등 1~2 학년

안쌤의
줄기과학 시리즈

새 교육과정
3~4학년
학기별
STEAM 과학

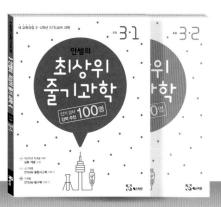

3-1 **8강**　3-2 **8강**　　　4-1 **8강**　4-2 **8강**

새 교육과정
5~6학년
학기별
STEAM 과학

5-1 **8강**　5-2 **8강**　　　6-1 **8강**　6-2 **8강**

새 교육과정
중등 영역별
STEAM 과학

물리학 24강　**화학 16강**　**생명과학 16강**　**지구과학 16강**　　　**물리학 워크북**　　**화학 워크북**

과학고 교육청 영재교육원 영재학급 대비

안쌤의

「창의적 문제 해결력」 수학 과학 공통

모의고사 중등 1·2 학년

평가 가이드

 매스티안

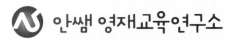 **안쌤 영재교육연구소**

상위 1%가 되는 길로 안내하는 이정표로,
학생들이 꿈을 이루어갈 수 있도록 콘텐츠 개발과 강의 연구를 하고 있다.

저자 **안쌤 영재교육연구소**

안재범, 최은화, 유나영, 이상호, 추진희, 오아린, 허재이, 이민숙, 이나연, 김혜진, 김샛별

이 교재에 도움을 주신 선생님

고려욱, 김성희, 김정아, 김종욱, 마성재, 박진국, 백광열, 어유선, 유영란, 이석영, 이선학,
이은덕, 장수진, 전익찬, 전진홍, 정영숙, 홍상혁

「창의적 문제해결력」 모의고사 1회

평가 가이드

① 수학·과학 문항 **구성** 및 **채점표**

② 문항별 **채점 기준**

수학 | 문항 구성 및 채점표

평가영역 문항	수학 사고력		수학 창의성		수학 STEAM	
	개념 이해력	개념 응용력	유창성	독창성	문제 파악 능력	문제 해결 능력
1	점					
2		점				
3	점					
4		점				
5			점	점		
6			점	점		
7					점	점

평가 영역별 점수	개념 이해력	개념 응용력	유창성	독창성	문제 파악 능력	문제 해결 능력
	수학 사고력		수학 창의성		수학 STEAM	
	/ 24점		/ 14점		/ 12점	

수학	총점

● 평가 결과에 따른 학습 방향

사고력	21점 이상	정확하게 답안을 작성하는 연습을 하세요.
	14~20점	교과 개념과 연관된 응용문제로 문제 적응력을 기르세요.
	14점 미만	틀린 문항과 관련된 교과 개념을 다시 공부하세요.

창의성	12점 이상	보다 독창성 있는 아이디어를 내는 연습을 하세요.
	8~11점	다양한 관점의 아이디어를 더 내는 연습을 하세요.
	8점 미만	적절한 아이디어를 더 내는 연습을 하세요.

STEAM	10점 이상	답안을 보다 구체적으로 작성하는 연습을 하세요.
	7~9점	문제 해결 방안의 아이디어를 다양하게 내는 연습을 하세요.
	7점 미만	실생활과 관련된 수학 기사로 수학적 사고를 확장하는 연습을 하세요.

과학 | 문항 구성 및 채점표

문항 \ 평가영역	과학 사고력		과학 창의성		과학 STEAM	
	개념 이해력	탐구 능력	유창성	독창성	문제 파악 능력	문제 해결 능력
8	점					
9	점					
10		점				
11		점				
12			점			
13			점	점		
14					점	점

평가 영역별 점수	개념 이해력	탐구 능력	유창성	독창성	문제 파악 능력	문제 해결 능력
	과학 사고력		과학 창의성		과학 STEAM	
	/ 24점		/ 14점		/ 12점	

과학		총점	

● 평가 결과에 따른 학습 방향

사고력
21점 이상	정확하게 답안을 작성하는 연습을 하세요.
14~20점	교과 개념과 연관된 응용문제로 문제 적응력을 기르세요.
14점 미만	틀린 문항과 관련된 교과 개념을 다시 공부하세요.

창의성
12점 이상	보다 독창성 있는 아이디어를 내는 연습을 하세요.
8~11점	다양한 관점의 아이디어를 더 내는 연습을 하세요.
8점 미만	적절한 아이디어를 더 내는 연습을 하세요.

STEAM
10점 이상	답안을 보다 구체적으로 작성하는 연습을 하세요.
7~9점	문제 해결 방안의 아이디어를 다양하게 내는 연습을 하세요.
7점 미만	실생활과 관련된 과학 기사로 과학적 사고를 확장하는 연습을 하세요.

① **수학 사고력**

관련 단원	1학년 2단원 정수와 유리수
평가 영역	개념 이해력

모범답안

① 5로 나누면 3이 남는 100 이하의 자연수를 모두 구하면

　8, 13, 18, 23, 28, 33, 38, 43, 48, 53, 58, 63, 68, 73, 78, 83, 88, 93, 98

② 6으로 나누면 5가 남는 100 이하의 자연수를 모두 구하면

　11, 17, 23, 29, 35, 41, 47, 53, 59, 65, 71, 77, 83, 89, 95

③ 두 조건을 모두 만족하는 수를 모두 구하면 23, 53, 83이므로

　23+53+83=159이다.

[다른 풀이]

구하고자 하는 100 이하의 자연수를 N이라 하면

$a(a=0, 1, 2, \cdots\cdots)$에 대하여 5로 나누면 3이 남는 것은 $N=5a+3$,

6으로 나누면 5가 남는 것은 $N=6a+5$이다.

따라서 $N=6\times(5a+3)+5=30a+23$을 만족하는 $a=0, 1, 2$이므로

$N=23, 53, 83$이고, 그 총합은 159이다.

채점 기준　요소별 채점

개념 이해력 [6점] : 나누는 수와 나머지의 관계를 알고 있는가?

채점 요소	점수
5로 나누면 3이 남는 100 이하의 자연수와 6으로 나누면 5가 남는 100 이하의 자연수를 모두 구한 경우	2점
두 조건을 모두 만족하는 수를 구한 경우	2점
총합을 바르게 구한 경우	2점

⑫ 수학 **사고력**

관련 단원	1학년 2단원 정수와 유리수
평가 영역	개념 응용력

모범답안

$C(X1)+C(X2)+C(X3)+ \cdots +C(X60)$이 최댓값을 가지려면 X1, X2, X3, …, X60인 헥사들이 가능한 많은 1을 포함하고 있어야 한다. 하나의 헥사에 최대 6개의 1이 포함될 수 있으므로 1을 많이 포함하는 헥사부터 적어지는 순서대로 그 경우를 나열해보면

① 1이 6개 포함된 경우 : 111111의 1가지

② 1이 5개 포함된 경우 : 111110, 111101, 111011, 110111, 101111, 011111의 6가지

③ 1이 4개 포함된 경우 : 111100, 111001, 111010, 110011, 110101, 110110, 100111, 101011, 101101, 101110, 001111, 010111, 011011, 011101, 011110의 15가지

④ 1이 3개 포함된 경우 : 110001, 110010, 110100, 111000, 100011, 100101, 100110, 101001, 101010, 101100, 010011, 010101, 010110, 011001, 011010, 011100, 000111, 001011, 001101, 001110의 20가지

⑤ 1이 2개 포함된 경우 : 110000, 101000, 100100, 100010, 100001, 011000, 010100, 010010, 010001, 001100, 001010, 001001, 000110, 000101, 000011의 15가지

①~⑤로부터 모두 57가지이므로 나머지 3가지는 1이 1개만 포함된 경우이다.

따라서 $C(X1)+C(X2)+C(X3)+\cdots+C(X60)$의 최댓값은 $6+(5\times6)+(4\times15)+(3\times20)+(2\times15)+3=189$이다.

채점 기준   요소별 채점

개념 응용력 [6점] : 서로 다른 60개의 헥사가 최댓값을 가지는 조건을 알고 있는가?

채점 요소	점수
주어진 식이 최댓값을 가지려면 헥사들이 가능한 많은 1을 포함해야 함을 서술한 경우	3점
주어진 식의 최댓값을 구한 경우	3점

03 수학 **사고력**

관련 단원	1학년 2단원 정수와 유리수, 2학년 2단원 식의 계산
평가 영역	개념 이해력

모범답안

① 한 번 자르면 (가로, 세로)가 $(210, \frac{297}{2})$, 두 번 자르면 $(\frac{210}{2}, \frac{297}{2})$,

세 번 자르면 $(\frac{210}{2}, \frac{297}{2^2})$, 네 번 자르면 $(\frac{210}{2^2}, \frac{297}{2^2})$, …,

15번 자르면 $(\frac{210}{2^7}, \frac{297}{2^8})$이다.

이처럼 한 변의 길이가 1 mm보다 작아지지 않도록

A4 종이의 가로 길이(210 mm)를 반으로 자르면 7번,

세로 길이(297 mm)를 반으로 자르면 8번,

최대 15번까지 자를 수 있으므로 총 겹의 수는 $2^{15} = 327680$이다.

② A4 종이 한 묶음(500매)의 두께가 5 cm이므로

A4 종이 한 장의 두께는 0.1 mm이다.

따라서 전체 높이는

(반으로 잘라서 쌓아올린 A4 종이의 겹 수)×(A4 종이 한 장의 두께)

$= 32768 \times 0.1 \, mm = 3.2768 \, m$

채점 기준 요소별 채점

개념 이해력 [6점] : 한 변의 길이가 1 mm보다 작아지지 않도록 반으로 자르는 횟수를 구할 수 있는가?

채점 요소	점수
총 겹의 수를 구한 경우	2점
A4 종이 한 장의 두께를 구한 경우	2점
전체 높이를 구한 경우	2점

04 수학 **사고력**

관련 단원	1학년 3단원 문자와 식, 2학년 6단원 확률
평가 영역	개념 응용력

모범답안

A가 이긴 횟수를 a, 진 횟수를 b라고 하면

B가 이긴 횟수는 b, 진 횟수는 a가 되므로

$2a-b=11 \cdots\cdots$ ①

$2b-a=5 \cdots\cdots$ ②

①에서 $b=2a-11$이므로 ②에 대입하면 $2(2a-11)-a=5$,

$4a-22-a=5$,

$3a=27$이므로 $a=9$이고 $b=7$이다.

따라서 A의 승률은 $\dfrac{a}{a+b} \times 100 = \dfrac{9}{9+7} \times 100 = \dfrac{9}{16} \times 100 = 56.25$ %이다.

채점 기준   요소별 채점

개념 응용력 [6점] : A가 이긴 횟수와 진 횟수를 구할 수 있는가?

채점 요소	점수
A가 이긴 횟수와 진 횟수를 이용하여 두 개의 식을 구한 경우	2점
a를 구한 경우	1점
b를 구한 경우	1점
A의 승률을 구한 경우	2점

05 수학 **창의성**

관련 단원	1학년 7단원 입체도형
평가 영역	유창성, 독창성

예시답안

* 다면체인 것과 아닌 것
* 각뿔인 것과 아닌 것
* 정다면체인 것과 아닌 것
* 회전체인 것과 아닌 것

해설

주어진 물건들을 수학적 도형으로 분류할 수 있는 적절한 기준을 제시한다.

채점 기준 총체적 채점

유창성 [4점] : 문제에서 요구하는 적절한 기준을 얼마나 많이 찾을 수 있는가?

채점 요소	점수
적절한 기준 1가지마다	1점

독창성 [3점] : 아이디어가 통계적으로 보아 얼마나 드물게 나타나고 또 특별한가?

채점 요소	점수
다면체에 관련된 기준을 서술한 경우	1점
각뿔과 관련된 기준을 서술한 경우	1점
회전체와 관련된 기준을 서술한 경우	1점

06 수학 창의성

관련 단원	2학년 5단원 일차함수
평가 영역	유창성, 독창성

예시답안

* 자동판매기 – 돈을 넣고 버튼을 누르면 각 버튼에 대응하는 물건이 나온다.
* 컴퓨터 자판 – 자판을 누르면 자판에 대응하는 문자가 나타난다.
* 주소 – 각 주소에 대응하는 건물이 반드시 존재한다.
* 지문 – 지문에 대응하는 사람이 반드시 존재한다.
* 우리 반 학생들과 번호 – 각 번호에 대응하는 서로 다른 학생이 존재한다.
* 전화번호 – 전화번호는 각 전화기와 대응한다.

채점 기준 총체적 채점

유창성 [5점] : 문제에서 요구하는 적절한 것을 얼마나 많이 찾을 수 있는가?

채점 요소	점수
적절한 것 1가지마다	1점

독창성 [2점] : 아이디어가 통계적으로 보아 얼마나 드물게 나타나고 또 특별한가?

채점 요소	점수
5가지가 모두 다른 범주에 속하는 경우	2점
전화번호, 학생 번호 등 같은 범주에 속하는 것이 있는 경우	1점

07 수학 STEAM

관련 단원	1학년 3단원 문자와 식
평가 영역	문제 파악 능력, 문제 해결 능력

(1) 예시답안

* 시카고의 가구당 구성원은 약 3명이므로 시카고는 총 100만 가구이다.
* 피아노의 보유율은 전체 가구 수의 약 10 %이므로 피아노를 가지고 있는 가수의 수는 10만 가구이다.
* 피아노 조율은 1년에 1번 하므로 피아노 조율은 연간 10만 건 발생한다.
* 조율사가 조율을 하는 데 걸리는 시간은 2시간 정도이고 하루 8시간, 주 5일, 50주 일하므로 조율사 1명은 1년에 1000대를 조율할 수 있다.

따라서 시카고의 적정한 피아노 조율사의 수는 100명이다.

채점 기준   요소별 채점

문제 파악 능력 [4점] : 주어진 조건을 이용하여 시카고의 적정 피아노 조율사 수를 구할 수 있는가?

채점 요소	점수
주어진 조건을 모두 활용하여 적정 피아노 조율사 수를 구한 경우	4점
주어진 조건을 모두 활용하였지만 계산 오류로 적정 피아노 조율사 수를 구하지 못한 경우	3점
적정 피아노 조율사 수를 구했지만 충분한 설명이 없는 경우	2점

(2)

예시답안

* 서울의 10층 이상의 건물 수는?
* 태평양 물의 양은 몇 리터일까?
* 남산을 옮기려면 얼마의 시간이 걸릴까?
* 한국의 하루 평균 개 사료 소비량은?
* 서울시 이발사의 수는?
* 한강 물은 몇 리터일까?
* 서울 시내 중국집 음식 판매량은?
* 서울 시내 영화관 수는?
* 아이스링크장의 얼음을 빙수로 만들면 몇 그릇의 빙수를 만들 수 있을까?
* 우리나라 국군 장병 수는?
* 우리나라 주유소의 수는?
* 제주도 렌터카의 수는?
* 서울에 사는 바퀴벌레의 수는?
* 골프공 표면에 있는 작은 구멍의 개수는?
* 사람 몸의 세포 수는?

해설

페르미 추정 방법을 이용해 해결할 수 있는 주제는 기초적인 지식과 추론으로 대략적인 근사값을 추정할 수 있으면 된다.

채점 기준 총체적 채점

문제 해결 능력 [8점] : 페르미 추정을 이용하여 해결할 수 있는 주제를 찾을 수 있는가?

채점 요소	점수	채점 요소	점수
1~2가지를 서술한 경우	1점	7가지를 서술한 경우	5점
3~4가지를 서술한 경우	2점	8가지를 서술한 경우	6점
5가지를 서술한 경우	3점	9가지를 서술한 경우	7점
6가지를 서술한 경우	4점	10가지를 서술한 경우	8점

08 과학 **사고력**

관련 단원	1학년 2단원 여러 가지 힘
평가 영역	개념 이해력

모범답안

지구 중심 방향으로 작용하는 중력에 의해 사과는 지구 중심 방향으로 떨어진다. 지구 중심 근처에서는 중력이 약하기 때문에 사과가 지구 중심으로 내려가던 관성에 의해 지구 반대편으로 계속 떨어지게 된다. 지구 반대편으로 떨어지던 사과에 작용하는 중력이 다시 커지므로 사과는 지구 중심 방향으로 움직이게 된다. 이렇게 사과는 지구 중심을 기준으로 왕복 운동을 한다.

해설

사과는 위치에 따라 중력이 달라지기 때문에 지구 중심을 지나서 지구의 반대편까지 갔다 되돌아오는 왕복 운동을 반복한다.

채점 기준 　요소별 채점

개념 이해력 [6점] : 사과의 위치에 따라 사과에 작용하는 힘을 알고 있는가?

채점 요소	점수
사과가 지구 중심으로 작용하는 중력이 작용해 떨어진다고 서술한 경우	1점
사과가 지구 중심에서 관성에 의해 반대편으로 움직인다고 서술한 경우	2점
사과가 지구 반대편으로 떨어지다가 중력에 의해 다시 지구 중심 방향으로 움직인다고 서술한 경우	1점
사과가 지구 중심에서 계속 왕복 운동한다고 서술한 경우	2점

09 과학 **사고력**

관련 단원	1학년 5단원 물질의 상태 변화
평가 영역	개념 이해력

모범답안

식물 주변에 돌을 깔면 지면에서 증발한 수증기가 돌의 차가운 표면에 다시 응결되면서 흘러 내려 땅속에 흡수되기 때문이다. 이렇게 되면 식물에 수분이 안정되게 공급되어 주변에 돌을 깔지 않은 식물보다 생장에 유리해진다.

해설

나무는 뿌리를 통해서 지면의 수분을 흡수하기 때문에 뿌리 주변에 수분이 일정하게 유지되면 나무의 생장에 더 유리해진다. 산이나 숲에서 돌을 들어보면 아래쪽이 젖어 있는 것과 같이 돌은 수분이 잘 날아가지 않고 일정하게 유지하게 해주는 역할을 한다.

채점 기준 요소별 채점

개념 이해력 [6점] : 식물 주변에 돌을 까는 이유를 알고 있는가?

채점 요소	점수
증발한 수증기가 돌에서 응결되는 것을 서술한 경우	2점
돌에서 응결된 물이 다시 땅속으로 흡수되는 것을 서술한 경우	1점
식물에 수분이 더 잘 공급되는 것을 서술한 경우	1점
수분으로 인해 생장에 유리함을 서술한 경우	2점

⑩ 과학 **사고력**

관련 단원	2학년 4단원 식물과 에너지
평가 영역	탐구 능력

예시답안

* 광합성을 할 때 흡수하는 빛의 색은 주로 적색(빨강)과 청색(보라, 파랑)이다.
* 파장이 짧다고 광합성이 잘 일어나는 것은 아니다.
* 광합성의 결과 산소가 발생한다.
* 산소 발생이 많은 곳 주위에 호기성 세균이 모여 있다.

해설

엽록소는 청자색광과 적색광의 빛을 잘 흡수해 광합성에 이용하는데, 이때 나오는 산소를 이용하기 위해 호기성 세균이 모여든다.

채점 기준　총체적 채점

탐구 능력 [6점] : 해감과 호기성 세균을 이용한 실험을 빛의 파장과 광합성의 관계로 해석할 수 있는가?

채점 요소	점수
1가지를 서술한 경우	1점
2가지를 서술한 경우	2점
3가지를 서술한 경우	4점
4가지를 서술한 경우	6점

11 과학 **사고력**

관련 단원	1학년 1단원 지권의 변화
평가 영역	탐구 능력

모범답안

* 실험 (가) : 석회암이 만들어지는 과정
* 실험 (나) : 석회암이 녹아 동굴이 만들어지는 과정
* 실험 (다) : 종유석, 석주, 석순이 만들어지는 과정
* 발생하는 기체 : 이산화 탄소, 수증기

해설

* 실험 (가)에서 석회수(수산화 칼슘)와 이산화 탄소가 반응하면 탄산 칼슘과 물이 생성된다. 탄산 칼슘에 의해 석회수가 뿌옇게 흐려진다.
* 실험 (나)에서 탄산 칼슘, 이산화 탄소, 물이 반응하여 중탄산 칼슘이 만들어지므로 석회수가 다시 맑아진다. 중탄산 칼슘은 물에 대한 용해도가 커서 잘 녹는다.
* 실험 (다)에서 중탄산 칼슘을 가열하면 탄산 칼슘, 이산화 탄소, 물로 분해되므로 다시 석회수가 뿌옇게 흐려진다.

채점 기준　요소별 채점

탐구 능력 [6점] : 석회동굴이 만들어지는 원리를 알고 있는가?

채점 요소	점수
실험 (가)와 석회동굴의 생성 과정을 서술한 경우	1점
실험 (나)와 석회동굴의 생성 과정을 서술한 경우	2점
실험 (다)와 석회동굴의 생성 과정을 서술한 경우	1점
실험 (다)에서 발생하는 기체의 종류를 모두 적은 경우	2점

⑫ 과학 **창의성**

관련 단원	1학년 2단원 여러 가지 힘
평가 영역	유창성, 독창성

모범답안

* 구간 (가) : 스카이다이버가 뛰어내리면 지구 중심 방향으로 중력이 작용한다. 내려오는 동안 공기 저항력이 점점 커지지만 알짜힘은 지구 중심 방향이므로 스카이다이버의 속력이 점점 증가한다.
* 구간 (나) : 속력이 점점 빨라지면서 공기 저항력이 커지게 되고, 중력과 공기 저항력의 알짜힘이 0이 되어 스카이다이버가 일정한 속도로 내려오게 된다.
* 구간 (다) : 낙하산을 펴면 갑자기 공기 저항력이 커지면서 알짜힘이 지면과 반대 방향으로 작용하게 된다. 따라서 스카이다이버의 속력이 줄어들게 된다.
* 구간 (라) : 낙하산을 펴고 잠시 시간이 지나면 속력이 줄어들면서 공기 저항력이 줄어들고 중력과의 알짜힘이 0이 되면서 다시 일정한 속도로 내려오게 된다.

해설

(가) 구간에서는 스카이다이버가 뛰어내린 순간 작용하는 힘은 중력만 작용한다. 중력에 의해 속력이 증가하면서 공기 저항력이 생기기 때문에 알짜힘은 점점 줄어들어 속력은 계속 빨라지지만 속력이 빨라지는 비율은 점점 줄어든다. (나) 구간에서는 공기 저항력과 중력의 크기가 같아져서 속력이 일정해지며, (다) 구간에서는 낙하산을 펴서 공기 저항력이 커지기 때문에 속력이 줄어들게 된다. (라)에서는 속력이 줄어들어 공기 저항력이 작아지고 중력과 같아져 속력이 일정한 구간이 나타난다.

채점 기준   요소별 채점

유창성 [7점] : 물체에 작용하는 힘과 속력 변화의 관계를 알고 있는가?

채점 요소	점수
구간 (가)에서의 속력 변화를 서술한 경우	1.5점
구간 (나)에서의 속력 변화를 서술한 경우	2점
구간 (다)에서의 속력 변화를 서술한 경우	2점
구간 (라)에서의 속력 변화를 서술한 경우	1.5점

⑬ 과학 **창의성**

관련 단원	3학년 2단원 기권과 날씨
평가 영역	유창성, 독창성

예시답안

* 기온 상승
* 성층권 기온의 하강
* 해수면 온도 상승
* 극지방 기온의 뚜렷한 상승
* 빙하의 융해

* 해수면 상승
* 사막의 확장
* 기상 이변
* 농경지 면적 감소
* 생태계 파괴 등

해설

화석연료의 연소에서 발생하는 이산화 탄소, 축산폐수 등에서 발생하는 메테인, 질소 비료의 여분이 분해되면서 발생하는 일산화 이질소 등 온실기체들이 대기 중에 잔류하면서 대류권의 기온이 상승하는 지구온난화가 일어난다.

채점 기준   총체적 채점

유창성 [5점] : 지구온난화에 의한 영향을 알고 있는가?

채점 요소	점수
적절한 영향 1가지마다	1점

독창성 [2점] : 아이디어가 통계적으로 보아 얼마나 드물게 나타나고 또 특별한가?

채점 요소	점수
기온 상승으로 인한 기권의 변화를 서술한 경우	1점
기온 상승으로 인한 수권, 지권, 생물권 등의 변화를 서술한 경우	1점

⑭ 과학 STEAM

관련 단원	1학년 2단원 여러 가지 힘
평가 영역	문제 파악 능력, 문제 해결 능력

(1)

예시답안

* 선로와 열차가 직접 닿지 않기 때문에 마찰력이 매우 적어 가속이 빠르며 소음도 65 dB 수준으로 낮다.
* 바퀴와 레일의 마찰로 인한 진동과 분진이 없어 친환경 교통수단으로 꼽힌다.
* 탈선, 전자파 등의 위험 요소가 없다.
* 건설비와 운영비가 기존 철도에 비해 저렴하다.
* 진동이 없어 승차감이 좋다.

해설

우리나라 대도시 교통망의 핵심은 버스나 지하철이다. 전통적으로 버스는 단거리, 지하철은 중장거리 이동을 담당했다. 최근 들어 간선급행체계가 확대되고 있지만, 버스와 지하철만으로 해결하기 어려운 틈새가 있는 것은 분명하다. 이에 대비할 수 있는 교통수단이 '신교통 시스템'이다. 신교통 시스템은 BRT, M버스, 경전철 등으로 버스와 지하철 양쪽의 장점을 취하는 교통수단이다. 여기서 한발 더 나아간 것이 '차세대 신교통 시스템'이다.

채점 기준   총체적 채점

문제 파악 능력 [4점] : 도시형 자기부상열차의 장점을 알고 있는가?

채점 요소	점수
1가지를 서술한 경우	1점
2가지를 서술한 경우	2점
3가지를 서술한 경우	4점

(2)

* 원리 : 열차 바닥의 초전도 자석과 레일의 전자석 자기장 방향을 반대로 두면 열차와 레일 사이에 서로 밀어내는 척력이 생겨 무거운 열차를 공중에 뜨게 하고, 초전도 자석과 자기장의 방향을 같은 방향으로 두면 열차와 레일 사이에 잡아당기는 힘이 생겨 앞이나 뒤로 움직일 수 있다.

* 장점 : 마찰력이 거의 발생하지 않아 적은 동력으로도 먼 거리를 갈 수 있다.

해설

초전도 현상이란 −200 ℃ 이하의 매우 낮은 온도에서 전기 저항이 사라지는 현상을 말한다. 초전도 현상이 일어나는 초전도체는 전기 저항이 사라지는 것 외에도 아주 큰 자기장을 만들거나 가둘 수 있다.

채점 기준   요소별 채점

문제 해결 능력 [8점] : 초전도 자기부상열차의 원리와 장점을 알고 있는가?

채점 요소	점수
원리를 바르게 서술한 경우	4점
장점을 바르게 서술한 경우	4점

모의고사 1회 평가 가이드

「창의적 문제해결력」 모의고사  2회

평가 가이드

① 수학·과학 문항 **구성** 및 **채점표**

② 문항별 **채점 기준**

평가영역 문항	수학 사고력		수학 창의성		수학 STEAM	
	개념 이해력	개념 응용력	유창성	독창성	문제 파악 능력	문제 해결 능력
1	점					
2		점				
3	점					
4		점				
5			점	점		
6			점			
7					점	점

평가 영역별 점수	개념 이해력	개념 응용력	유창성	독창성	문제 파악 능력	문제 해결 능력
	수학 사고력		수학 창의성		수학 STEAM	
	/ 24점		/ 14점		/ 12점	

수학		총점	

● 평가 결과에 따른 학습 방향

사고력	21점 이상	정확하게 답안을 작성하는 연습을 하세요.
	14~20점	교과 개념과 연관된 응용문제로 문제 적응력을 기르세요.
	14점 미만	틀린 문항과 관련된 교과 개념을 다시 공부하세요.

창의성	12점 이상	보다 독창성 있는 아이디어를 내는 연습을 하세요.
	8~11점	다양한 관점의 아이디어를 더 내는 연습을 하세요.
	8점 미만	적절한 아이디어를 더 내는 연습을 하세요.

STEAM	10점 이상	답안을 보다 구체적으로 작성하는 연습을 하세요.
	7~9점	문제 해결 방안의 아이디어를 다양하게 내는 연습을 하세요.
	7점 미만	실생활과 관련된 수학 기사로 수학적 사고를 확장하는 연습을 하세요.

평가영역 / 문항	과학 사고력		과학 창의성		과학 STEAM	
	개념 이해력	탐구 능력	유창성	독창성	문제 파악 능력	문제 해결 능력
8		점				
9		점				
10	점					
11	점					
12			점	점		
13			점	점		
14					점	점

평가 영역별 점수	개념 이해력	탐구 능력	유창성	독창성	문제 파악 능력	문제 해결 능력
	과학 사고력		과학 창의성		과학 STEAM	
	/ 24점		/ 14점		/ 12점	

과학		총점	

● 평가 결과에 따른 학습 방향

사고력	21점 이상	정확하게 답안을 작성하는 연습을 하세요.
	14~20점	교과 개념과 연관된 응용문제로 문제 적응력을 기르세요.
	14점 미만	틀린 문항과 관련된 교과 개념을 다시 공부하세요.

창의성	12점 이상	보다 독창성 있는 아이디어를 내는 연습을 하세요.
	8~11점	다양한 관점의 아이디어를 더 내는 연습을 하세요.
	8점 미만	적절한 아이디어를 더 내는 연습을 하세요.

STEAM	10점 이상	답안을 보다 구체적으로 작성하는 연습을 하세요.
	7~9점	문제 해결 방안의 아이디어를 다양하게 내는 연습을 하세요.
	7점 미만	실생활과 관련된 과학 기사로 과학적 사고를 확장하는 연습을 하세요.

① 수학 **사고력**

관련 단원	1학년 3단원 문자와 식
평가 영역	개념 이해력

모범답안

* 떨어뜨리는 횟수 : 6번
* 이유 : 물건 하나를 2층, 4층, 6층, 8층, 10층 순으로 차례로 떨어뜨려 본다. 어느 한 층에서 떨어뜨린 물건이 깨진다면 그 층의 아래층에서 다른 물건을 떨어뜨린다. 그러면 물건이 깨지게 되는 가장 낮은 층을 찾을 수 있다. 예를 들어 6층에서 물건을 떨어뜨렸을 때 물건이 졌다고 하자. 그러면 다른 물건을 5층에서 다시 떨어뜨려 본다. 이때 깨지면 가장 낮은 층이 5층이 되는 것이고 깨지지 않으면 6층이 된다. 그리고 10층에서 떨어뜨렸을 때 깨지지 않았다면 11층에서 떨어뜨려 보고, 이때 깨진다면 11층이 가장 낮은 층이 될 것이고 깨지지 않는다면 물건을 떨어뜨렸을 때 깨지는 가장 낮은 층이 없는 것이다. 그러므로 최소한 6번은 물건을 떨어뜨려 보아야 낮은 층을 찾을 수 있다.

채점 기준 　요소별 채점

개념 이해력 [6점] : 떨어뜨리는 최소 횟수를 구할 수 있는가?

채점 요소	점수
떨어뜨리는 최소 횟수를 구한 경우	2점
이유를 서술한 경우	4점

02 수학 **사고력**

관련 단원	1학년 6단원 평면도형
평가 영역	개념 응용력

모범답안

* A의 넓이
  H와 I의 한 변의 길이는 각각 8, 9이다.
  그러므로 A의 한 변의 길이는 1이 되어
  넓이는 1이다.

* C의 넓이
  B의 한 변의 길이는
  A와 I의 한 변의 길이의 합이므로 10이고,
  D의 한 변의 길이는
  H와 A의 한 변의 길이의 차이므로 7이다.
  E의 한 변의 길이는
  B와 I의 한변의 길이의 합에서 D와 H의 한 변의 길이의 합을 빼면 되므로
  $(9+10)-(7+8)=4$이다.
  C의 한 변의 길이는 B와 E의 한 변의 길이의 합이므로 14가 되어
  C의 넓이는 196이다.

* G의 넓이
  G의 한 변의 길이는 C와 E의 한 변의 길이의 합이므로 18이 되어
  G의 넓이는 324가 된다.
  F의 한 변의 길이는 H와 D의 한 변의 길이의 합이므로 15이다.

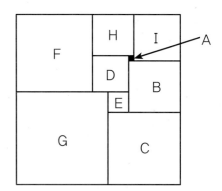

채점 기준   요소별 채점

개념 응용력 [6점] : 여러 개로 나누어진 정사각형의 넓이를 구할 수 있는가?

채점 요소	점수
A의 넓이를 구한 경우	2점
C의 넓이를 구한 경우	2점
G의 넓이를 구한 경우	2점

03 수학 사고력

관련 단원	1학년 5단원 기본 도형
평가 영역	개념 이해력

모범답안

n이하의 자연수 세 개를 취하여 삼각기둥의 밑면의 세 변을 만드는 경우의 수를 $G(n)$이라 하면, 삼각형의 두 변의 길이의 합은 나머지 한 변의 길이보다 길어야 하므로 다음과 같은 $G(n)$을 갖는다.

$G(1)=1$ ➡ (1, 1, 1)

$G(2)=G(1)+2=3$ ➡ $G(1)$, (2, 2, 2), (2, 2, 1)

$G(3)=G(2)+4=7$ ➡ $G(2)$, (3, 3, 3), (1, 3, 3), (2, 3, 3), (3, 2, 2)

$G(4)=G(3)+6=13$ ➡ $G(3)$, (4, 4, 4), (1, 4, 4), (2, 4, 4), (3, 4, 4), (4, 3, 2), (4, 3, 3)

$G(5)=G(4)+9=22$ ➡ $G(4)$의 경우, (5, 5, 5), (1, 5, 5), (2, 5, 5), (3, 5, 5), (4, 5, 5), (5, 4, 2), (5, 4, 3), (5, 4, 4), (5, 3, 3)

$G(6)=G(5)+12=34$ ➡ $G(5)$의 경우, (6, 6, 6), (1, 6, 6), (2, 6, 6), (3, 6, 6), (4, 6, 6), (5, 6, 6), (6, 5, 2), (6, 5, 3), (6, 5, 4), (6, 5, 5), (6, 4, 3), (6, 4, 4)

$G(7)=G(6)+16=50$ ➡ $G(6)$의 경우, (7, 7, 7), (1, 7, 7), (2, 7, 7), (3, 7, 7), (4, 7, 7), (5, 7, 7), (6, 7, 7), (7, 6, 2), (7, 6, 3), (7, 6, 4), (7, 6, 5), (7, 6, 6), (7, 5, 3), (7, 5, 4), (7, 5, 5), (7, 4, 4)

따라서 $G(7)=50$인데, 높이로 취할 수 있는 자연수는 1부터 7까지 7개가 있으므로 $F(7)=7 \times G(7)=350$이다.

채점 기준 요소별 채점

개념 이해력 [6점] : 삼각형을 그리기 위한 세 변의 조건을 알고 있는가?

채점 요소	점수
삼각형을 그릴 수 있는 경우의 수를 구한 경우	3점
$F(7)$을 구한 경우	3점

04 수학 사고력

관련 단원	1학년 8단원 통계
평가 영역	개념 응용력

모범답안

* 대표 선수 : 학생 B
* 이유

두 학생의 평균이 같기 때문에 대푯값만으로는 자료의 특징을 설명할 수 없다. 그래서 자료들이 대푯값 주위에 흩어져 있는 정도를 나타낸 산포도 값인 분산을 이용한다.

A 학생과 B 학생의 평균 : 9

A 학생의 분산 $= \dfrac{1^2+1^2+(-2)^2+1^2+1^2+(-2)^2}{10} = \dfrac{12}{10} = 1.2$

B 학생의 분산 $= \dfrac{1^2+1^2+(-1)^2+1^2+(-2)^2}{10} = \dfrac{8}{10} = 0.8$이므로

B 학생의 득점이 평균 주위에 몰려 있어 득점이 더 고르다고 할 수 있다.

해설

산포도는 중학교 3학년 내용이므로 주어진 자료를 그림으로 나타내거나 평균과의 거리 등을 이용한 창의적인 방법으로 문제를 해결한 경우 정답으로 인정한다.

채점 기준   요소별 채점

개념 응용력 [6점] : 평균과 산포도의 개념을 알고 있는가?

채점 요소	점수
평균을 구한 경우	2점
산포도를 구하거나 산포도를 구하는 원리를 이용한 경우	2점
대표 선수를 바르게 구한 경우	2점

05 수학 **창의성**

관련 단원	1학년 8단원 통계
평가 영역	유창성, 독창성

예시답안

* 같은 시간 운동하였을 때, 걷기보다 배드민턴의 칼로리 소비량이 더 많다.
* 축구보다 스쿼시의 운동량이 더 많다.
* 걷기보다 자전거 타기의 칼로리 소모량이 2배 정도 많다.
* 등산이나 자전거 타기는 1분 동안 약 10 kcal를 소비한다.

채점 기준 총체적 채점

유창성 [5점] : 그래프를 보고 알 수 있는 사실을 얼마나 많이 찾을 수 있는가?

채점 요소	점수
적절한 사실 1가지마다	1점

독창성 [2점] : 아이디어가 통계적으로 보아 얼마나 드물게 나타나고 또 특별한가?

채점 요소	점수
칼로리 소비량의 관계를 단순하게 비교한 경우	1점
칼로리 소비량의 관계를 숫자로 비교한 경우	2점

06 수학 **창의성**

관련 단원	1학년 6단원 평면도형
평가 영역	유창성

예시답안

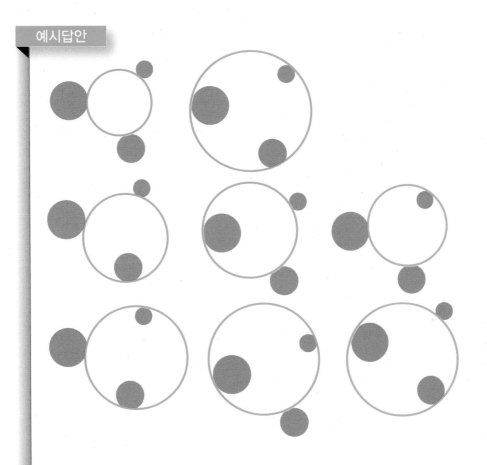

채점 기준 총체적 채점

유창성 [7점] : 문제에서 요구하는 것을 얼마나 많이 찾을 수 있는가?

채점 요소	점수	채점 요소	점수
1~2가지를 그린 경우	1점	6가지를 그린 경우	5점
3가지를 그린 경우	2점	7가지를 그린 경우	6점
4가지를 그린 경우	3점	8가지를 그린 경우	7점
5가지를 그린 경우	4점		

07 수학 STEAM

관련 단원	1학년 7단원 입체도형
평가 영역	문제 파악 능력, 문제 해결 능력

(1) 예시답안

* 내용물의 온도가 쉽게 변하지 않아야 한다.
* 무게가 무겁지 않아야 한다.
* 용량이 적당해야 한다.
* 충격에 쉽게 변형되거나 부서지지 않아야 한다.
* 들고 다니거나 가방에 넣어 다니기 적당한 모양이어야 한다.
* 크기가 적당해야 한다.

해설

등산용이라는 목적에 알맞게 보온병을 선택할 때 고려해야 할 다양한 요소들을 찾아야 한다.

채점 기준　총체적 채점

문제 파악 능력 [4점] : 사용 목적에 맞는 보온병의 조건을 생각할 수 있는가?

채점 요소	점수
적절한 조건 1가지마다	1점

(2) 예시답안

* 가 : 보온병의 부피와 용량의 차이가 크지 않고, 크기가 작아 등산용으로 가지고 다니기에 적당하다. 내용물의 온도가 쉽게 변하지만 등산을 하는 시간이 길지 않아 큰 문제가 되지 않는다.

* 나 : 크기와 모양이 가장 적당하다. 다른 보온병과 비교하였을 때 부피에 비해 겉넓이가 작고, 부피와 용량의 차이가 적당하고 내용물의 온도도 등산을 하는 동안 충분히 유지될 정도이기 때문이다.

* 다 : 등산을 하는 동안 많은 물을 마시는 편이기 때문에 큰 보온병이 필요하다. 다른 보온병보다 가늘고 긴 모양이므로 가방에 넣어 다니기에 편리할 것 같다.

* 라 : 납작하고 큰 모양으로 가방에 넣기 편리하고 많은 양의 물의 온도를 오랫동안 유지하기 때문이다.

해설

목적에 따라 선택한 보온병이 달라질 것이다. 선택한 보온병의 특징을 잘 파악하여 선택한 보온병에 따른 적절한 근거를 들어 설명한다.

채점 기준   요소별 채점

문제 해결 능력 [8점] : 사용 목적에 따른 보온병의 종류를 선택할 수 있는가?

채점 요소	점수
보온병을 선택하고 보온병의 특징을 사용 목적과 관련지어 서술한 경우	8점
보온병을 선택하고 보온병의 일반적인 특징을 서술한 경우	5점
보온병을 선택하였지만 이유가 적절하지 않은 경우	2점

08 과학 **사고력**

관련 단원	2학년 8단원 열과 우리 생활
평가 영역	탐구 능력

모범답안

주위의 온도가 높아지면 실린더 안의 물의 부피가 커지면서 밀도가 작아지고 주위의 온도가 낮아지면 실린더 안의 물의 부피가 작아지면서 밀도가 커진다. 여러 가지 색의 유리 구슬 안의 기름은 밀도가 거의 일정하기 때문에 실린더 안 물의 밀도가 달라짐에 따라 유리 구슬이 떠오르거나 가라앉아 현재 온도를 나타낸다.

해설

실린더 안의 물의 밀도가 작아지면 유리 구슬들이 깊게 가라앉고, 물의 밀도가 커지면 유리 구슬들이 더 떠오른다.

채점 기준   요소별 채점

탐구 능력 [6점] : 갈릴레이 온도계의 온도 측정 원리를 알고 있는가?

채점 요소	점수
온도와 부피의 관계를 서술한 경우	1점
물의 부피와 밀도의 관계를 서술한 경우	2점
유리 구슬의 색마다 밀도가 다름을 서술한 경우	1점
물의 밀도 변화에 따른 유리 구슬의 위치 변화를 서술한 경우	2점

09 과학 **사고력**

관련 단원	2학년 1단원 물질의 구성
평가 영역	탐구 능력

모범답안

* 그래프의 검출 강도과 관련 있는 것 : 중성자 수
* 돌턴의 원자설의 잘못된 부분과 수정
  돌턴의 원자설에서 "같은 종류의 원자는 크기와 질량이 같고, 원자의 종류가 다르면 크기와 질량이 다르다." 부분을 "대부분 원자의 질량은 같지만, 중성자 수가 다를 경우에는 원자의 종류는 같지만 질량이 다를 수 있다."로 바뀌어야 한다.

해설

같은 물질이라도 중성자 수가 다르면 질량수가 다르다. 이런 원소를 동위 원소라고 한다.

채점 기준　요소별 채점

탐구 능력 [6점] : 질량 분석기의 원리를 알고 있는가?

채점 요소	점수
그래프의 검출 강도와 중성자 수의 관계를 서술한 경우	2점
돌턴의 원자설에서 잘못된 부분을 서술한 경우	2점
돌턴의 원자설의 잘못된 부분을 바르게 고친 경우	2점

⑩ 과학 사고력

관련 단원	2학년 5단원 동물과 에너지
평가 영역	개념 이해력

모범답안

세포의 핵 속에는 DNA가 있는데, 적혈구는 핵이 없고 백혈구만 핵이 있다. 따라서 X선을 혈액을 쪼이면 적혈구와 백혈구 모두 노출되지만, X선은 DNA만 파괴하기 때문에 핵이 있는 백혈구만 파괴된다.

해설

혈액의 세포 성분으로 적혈구, 백혈구, 혈소판이 있는데, 이 중에 핵이 있는 세포 성분은 백혈구 뿐이다.

채점 기준 요소별 채점

개념 이해력 [6점] : 혈액 세포 성분의 특징을 알고 있는가?

채점 요소	점수
핵 속에 DNA가 있음을 서술한 경우	2점
혈액의 세포 성분 중 백혈구에만 핵이 있음을 서술한 경우	2점
X선이 DNA만 파괴함을 서술한 경우	2점

⑪ 과학 **사고력**

관련 단원	2학년 7단원 수권과 해수의 순환
평가 영역	개념 이해력

모범답안

* 황해는 시베리아 계절풍의 영향으로 기온이 낮고, 동해는 차가운 시베리아 계절풍이 산을 넘으면서 고온 건조해지기 때문이다.
* 동해는 구로시오 해류 중 동한 난류의 영향을 많이 받아 황해보다 기온이 조금 더 높다.

해설

우리나라 부근의 해류는 구로시오 해류에서 갈라져 나온 동한 난류와 황해 난류가 흐른다. 또, 북쪽에서 차가운 북한 한류가 내려온다. 동해는 한류의 영향도 받지만 겨울의 차가운 시베리아 계절풍의 영향을 직접 받지 않기 때문에 황해의 기온보다 더 높다.

채점 기준 　요소별 채점

개념 이해력 [6점] : 우리나라 주변의 해류가 기후에 미치는 영향을 알고 있는가?

채점 요소	점수
겨울에 황해가 시베리아 계절풍의 영향을 더 많이 받음을 서술한 경우	2점
시베리아 계절풍이 산을 넘으면서 온도가 높아짐을 서술한 경우	2점
동해가 동한 난류의 영향을 많이 받음을 서술한 경우	2점

⑫ 과학 **창의성**

관련 단원	1학년 5단원 물질의 상태 변화
평가 영역	유창성, 독창성

예시답안

* 물 먹는 장난감 새의 원리

새의 머리에 물을 묻히면 새의 머리 부분의 증발에 의해 온도가 낮아져 머리 쪽 유리관 내부 압력이 감소하기 때문에 에탄올이 유리관을 통해 머리 쪽으로 이동한다. 따라서 무게 중심이 머리 쪽으로 이동하면서 새의 머리가 아래로 내려오게 된다. 새의 머리 부분이 컵 안의 물에 닿으면서 수평을 이루면, 유리관과 유리병이 연결된 전체의 압력이 같아지기 때문에 유리관 머리 쪽의 에탄올이 다시 흘러 내려온다. 따라서 무게 중심이 다시 몸통 쪽으로 이동하여 새가 바로 선다. 물에 젖은 채로 바로 선 새의 머리에서 다시 물이 증발하면서 과정을 반복한다.

* 새의 움직임을 빠르게 하는 방법
– 유리병 속에 에탄올보다 휘발성이 더 강한 액체(에테르)를 넣어 준다.
– 새 머리의 물이 잘 증발하도록 주변을 건조하게 만들거나 바람을 불어 준다.
– 컵 안에 물 대신 에탄올과 같은 휘발성이 강한 액체를 넣어 새의 머리 부분에서 더 빠르게 증발이 일어나도록 한다.

채점 기준 요소별 채점

유창성 [5점] : 물 먹는 장난감 새의 원리를 알고 있는가?

채점 요소	점수
작동 원리를 서술한 경우	2점
새의 움직임을 빠르게 하는 적절한 방법 1가지마다	1점

독창성 [2점] : 아이디어가 통계적으로 보아 얼마나 드물게 나타나고 또 특별한가?

채점 요소	점수
유리병 속의 액체를 변화시킨 경우	1점
주위 환경을 변화시킨 경우	1점

⑬ 과학 **창의성**

관련 단원	2학년 5단원 동물과 에너지
평가 영역	유창성, 독창성

예시답안

* 육류 위주의 식생활이 증가하면서 대변이 장에 머물러 있는 시간이 길어지고, 쓸개즙의 독성 물질의 분비가 많아지면서 장의 점막이 자주 손상을 입게 되면서 악성 암으로 진행될 수 있다.
* 섬유질은 음식물이 장을 통과하는 시간을 단축해 발암 물질과 장의 점막과의 접촉 시간을 줄여준다. 그런데 이 섬유질의 섭취가 줄었기 때문이다.
* 육류를 굽거나 튀기면서 조리할 때 나온 발암 물질로 대장암이 증가하였다.
* 운동이 부족하여 장의 연동 운동이 활발하게 일어나지 않아 대변이 장을 통과하는 시간이 길어졌기 때문이다.

해설

쓸개즙의 주요 성분은 담즙산으로 동물 체내 콜레스테롤 대사 과정 중 생산되는 물질이다. 주로 쓸개즙과 함께 분비되며 산성을 지닌다.

채점 기준   총체적 채점

유창성 [5점] : 문제에서 요구하는 적절한 이유를 얼마나 많이 찾을 수 있는가?

채점 요소	점수
1가지를 서술한 경우	1점
2가지를 서술한 경우	2점
3가지를 서술한 경우	5점

독창성 [2점] : 아이디어가 통계적으로 보아 얼마나 드물게 나타나고 또 특별한가?

채점 요소	점수
식습관이 대장에 미치는 영향을 서술한 경우	1점
운동이 대장에 미치는 영향을 서술한 경우	1점

14 과학 STEAM

관련 단원	1학년 5단원 물질의 상태 변화
평가 영역	문제 파악 능력, 문제 해결 능력

(1)

모범답안

물이 내려가는 통로에 뚫어뻥의 고무 부분을 대고 누르면 뚫어뻥의 고무 부분 쪽의 공기가 빠져나가 그 속의 공기의 양이 적어진다. 그런 후 다시 뚫어뻥을 당기면 뚫어뻥 고무 부분 속의 공기는 한정되어 있지만 부피가 늘어나서 기압이 낮아진다. 상대적으로 관 아래쪽 공기의 기압이 강하기 때문에 관 아래쪽에서 관 위쪽으로 공기가 흐르면서 관을 막은 이물질이 위로 올라와 막힌 부분이 뚫린다.

채점 기준　요소별 채점

문제 파악 능력 [4점] : 뚫어뻥을 누를 때와 당길 때의 압력 변화를 알고 있는가?

채점 요소	점수
뚫어뻥을 누를 때 막힌 부분의 공기의 양을 서술한 경우	1점
뚫어뻥을 당길 때 공기의 양과 기압의 관계를 서술한 경우	2점
이물질이 뚫리는 원리를 서술한 경우	1점

(2)

＊ 물이 꽉 찬 변기를 그대로 얼마쯤(10여 분 정도) 두면 물이 조금씩 빠져나가게 된다. 물이 반쯤 빠져나가면 변기의 앉는 부분을 위로 들어 올린 후 변기 몸체에 비닐봉지를 씌우고 테이프로 공기가 새어 나가는 것을 막는다. 그런 후 다시 변기 레버를 누르면 변기 물통의 물이 변기로 들어오면서 새어나가지 못한 공기가 위로 올라가 봉지가 크게 부풀게 된다. 이때 봉지의 가운데를 손으로 누르면 공기의 누르는 힘에 의해 쉽게 변기가 뚫린다.

＊ 페트병의 주둥이 부분을 잘라서 막힌 입구에 대고 페트병을 눌렀다 떼는 과정을 반복한다. 이때에도 입구에 대는 페트병의 잘린 부분에서 가급적 공기가 새어 나가지 않도록 하는 것이 요령이다.

채점 기준   요소별 채점

문제 해결 능력 [8점] : 막힌 변기를 뚫을 수 있는 아이디어를 고안할 수 있는가?

채점 요소	점수
아이디어 2가지가 타당하고 구체적인 경우	8점
아이디어 2가지가 타당하지만 한 가지가 구체적이지 않은 경우	6점
아이디어 2가지가 타당하지만 모두 구체적이지 않은 경우	5점
아이디어 1가지가 타당하고 구체적이지만 다른 1가지는 타당하지 않는 경우	
아이디어 1가지가 타당하고 구체적인 경우	4점
아이디어 1가지가 타당하지만 구체적이지 않은 경우	3점
아이디어가 타당하지도 않고 구체적이지도 않은 경우	1점

모의고사 2회 평가 가이드

「창의적 문제해결력」 모의고사  3회

평가 가이드

1 수학·과학 문항 **구성** 및 **채점표**

2 문항별 **채점 기준**

평가영역 문항	수학 사고력		수학 창의성		수학 STEAM	
	개념 이해력	개념 응용력	유창성	독창성	문제 파악 능력	문제 해결 능력
1	점					
2		점				
3	점					
4		점				
5			점	점		
6			점	점		
7					점	점

평가 영역별 점수	개념 이해력	개념 응용력	유창성	독창성	문제 파악 능력	문제 해결 능력
	수학 사고력		수학 창의성		수학 STEAM	
	/ 24점		/ 14점		/ 12점	

수학	총점	

● 평가 결과에 따른 학습 방향

사고력	**21점 이상**	정확하게 답안을 작성하는 연습을 하세요.
	14~20점	교과 개념과 연관된 응용문제로 문제 적응력을 기르세요.
	14점 미만	틀린 문항과 관련된 교과 개념을 다시 공부하세요.

창의성	**12점 이상**	보다 독창성 있는 아이디어를 내는 연습을 하세요.
	8~11점	다양한 관점의 아이디어를 더 내는 연습을 하세요.
	8점 미만	적절한 아이디어를 더 내는 연습을 하세요.

STEAM	**10점 이상**	답안을 보다 구체적으로 작성하는 연습을 하세요.
	7~9점	문제 해결 방안의 아이디어를 다양하게 내는 연습을 하세요.
	7점 미만	실생활과 관련된 수학 기사로 수학적 사고를 확장하는 연습을 하세요.

과학 | 문항 구성 및 채점표

평가영역 문항	과학 사고력		과학 창의성		과학 STEAM	
	개념 이해력	탐구 능력	유창성	독창성	문제 파악 능력	문제 해결 능력
8		점				
9	점					
10	점					
11		점				
12			점	점		
13			점	점		
14					점	점

평가 영역별 점수	개념 이해력	탐구 능력	유창성	독창성	문제 파악 능력	문제 해결 능력
	과학 사고력		과학 창의성		과학 STEAM	
	/ 24점		/ 14점		/ 12점	

과학		총점	

● 평가 결과에 따른 학습 방향

사고력	21점 이상	정확하게 답안을 작성하는 연습을 하세요.
	14~20점	교과 개념과 연관된 응용문제로 문제 적응력을 기르세요.
	14점 미만	틀린 문항과 관련된 교과 개념을 다시 공부하세요.

창의성	12점 이상	보다 독창성 있는 아이디어를 내는 연습을 하세요.
	8~11점	다양한 관점의 아이디어를 더 내는 연습을 하세요.
	8점 미만	적절한 아이디어를 더 내는 연습을 하세요.

STEAM	10점 이상	답안을 보다 구체적으로 작성하는 연습을 하세요.
	7~9점	문제 해결 방안의 아이디어를 다양하게 내는 연습을 하세요.
	7점 미만	실생활과 관련된 과학 기사로 과학적 사고를 확장하는 연습을 하세요.

01 수학 **사고력**

관련 단원	2학년 4단원 부등식
평가 영역	개념 이해력

모범답안

점 P가 선분 BC 위를 움직일 때,

삼각형 ABP는 밑변의 길이가 4이고, 높이가 x인 직각삼각형이므로

삼각형 ABP의 넓이, $y=\dfrac{1}{2}\times4\times2=2x$이다.

점 P가 선분 CD 위를 움직일 때,

삼각형 ABP는 밑변의 길이가 60이고 높이가 4인 삼각형이므로

삼각형 ABP의 넓이, $y=\dfrac{1}{2}\times6\times4=120$이다.

따라서 $a=2$, $b=0$, $c=0$, $d=120$이므로

$ad-bc=24-0=240$이다.

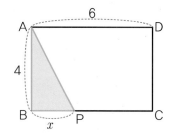 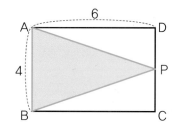

채점 기준 요소별 채점

개념 이해력 [6점] : 삼각형 ABP의 넓이를 수식으로 나타낼 수 있는가?

채점 요소	점수
a, b를 구한 경우	2점
c, d를 구한 경우	2점
$ad-bc$를 구한 경우	2점

⑫ 수학 **사고력**

관련 단원	2학년 3단원 연립방정식
평가 영역	개념 응용력

모범답안

$A = (8+12) \div 2 = 10$이다.

B가 가운데에 있으므로, B를 구하는 식을 C, E를 이용하여 정리하면

$B = (10+E) \div 2 = (12+C) \div 2 \cdots$ ①

C를 구하는 식은 $C = (8+E) \div 2 \cdots$ ②

①식을 정리하면 $E - C = 2 \cdots$ ③

②식을 정리하면 $-E + 2C = 8 \cdots$ ④

③+④를 하면 $C = 10$, $E = 12$이고,

$B = 11$, $D = 12$이다.

∴ $A = 10$, $B = 11$, $C = 10$, $D = 12$, $E = 12$

채점 기준   요소별 채점

개념 응용력 [6점] : 연립방정식을 세울 수 있는가?

채점 요소	점수
A, B, C, D, E를 바르게 구한 경우마다	1점
연립방정식을 이용한 경우	1점

03 수학 **사고력**

관련 단원	2학년 6단원 확률, 1학년 7단원 입체도형
평가 영역	개념 이해력

모범답안

볼록 다면체 P는 12각기둥의 윗면과 아랫면에 각각 12각뿔을 붙여놓은 입체도형이다.

26개 각각의 꼭짓점에서 자신을 제외한 나머지 꼭짓점을 잇는 선분의 개수는 26×25개이고 각각 2번씩 겹치므로 26개의 꼭짓점을 두 개씩 이어 만들 수 있는 선분의 개수는 $\frac{26\times25}{2}=325$(개)이다.

그런데 325개의 선분 중에는 P의 모서리 60개와 사각형인 면의 대각선 2개도 모두 포함되어 있다.

따라서 공간 대각선의 총 개수는 325−(60+12×2)=241(개)이다.

채점 기준 　요소별 채점

개념 이해력 [6점] : 볼록 다면체 P의 모양을 알 수 있는가?

채점 요소	점수
꼭짓점을 이어 만들 수 있는 선분의 개수를 구한 경우	3점
공간 대각선의 총 개수를 구한 경우	3점

04 수학 **사고력**

관련 단원	2학년 3단원 연립방정식
평가 영역	개념 응용력

모범답안

참은 ○, 거짓은 ×로 나타내면

① 준석이는 영어를 좋아함(○), 병호는 수학을 좋아함(×)

　형우는 과학을 좋아함(○), 병호는 영어를 좋아함(×)

　호준이는 영어를 좋아함(×), 형우는 수학을 좋아함(○)

　호준이는 과학을 좋아함, 준석이는 국어를 좋아함

　두 명이 같은 과목을 좋아하거나, 한 명이 두 과목을 좋아하므로 모순이다.

② 준석이는 영어를 좋아함(×), 병호는 수학을 좋아함(○)

　형우는 과학을 좋아함(○), 병호는 영어를 좋아함(×)

　호준이는 영어를 좋아함(○), 형우는 수학을 좋아함(×)

　호준이는 과학을 좋아함(×), 준석이는 국어를 좋아함(○)

∴ 좋아하는 과목은 다음과 같다.

준석 : 국어, 호준 : 영어, 병호 : 수학, 형우 : 과학

채점 기준　요소별 채점

개념 응용력 [6점] : 참과 거짓을 이용하여 논리적으로 생각할 수 있는가?

채점 요소	점수
참과 거짓에 따라 논리적으로 서술한 경우	3점
네 학생이 좋아하는 과목을 모두 바르게 구한 경우	3점

05 수학 **창의성**

관련 단원	2학년 1단원 유리수와 근삿값
평가 영역	유창성, 독창성

예시답안

* 시간 – 표현의 편리를 위해 수로 시, 분, 초를 표현한다.
* 날짜 – 표현의 편리를 위해 수로 표현한다.
* 지능지수(IQ) – 사람의 지능을 수로 나타내어 비교하거나 이해하기 쉽게 한다.
* 강수 확률 – 비가 내릴 정도를 수로 표현한다.
* 온도나 습도 – 수로 표현하여 비교하거나 기록하기 쉬우며 누구나 그 정도를 쉽게 짐작할 수 있다.

채점 기준   총체적 채점

유창성 [5점] : 문제를 해결하기 위한 적절한 방법을 얼마나 많이 고안하는가?

채점 요소	점수
적절한 것 1가지마다	1점

독창성 [2점] : 아이디어가 통계적으로 보아 얼마나 드물게 나타나고 또 특별한가?

채점 요소	점수
정확한 값을 수로 나타낸 경우	1점
확률을 수로 나타낸 경우	1점

06 수학 **창의성**

관련 단원	2학년 2단원 식의 계산, 1학년 8단원 통계
평가 영역	유창성, 독창성

예시답안

* 선택한 그림 : 〈그림 2〉
* 신문기사

수학이 두려운 건 부모 탓? 수학 불안감의 일부는 부모에게서 물려받아 형성된다.

수학 문제를 보자 긴장되고 온몸이 떨린다면? 또는 '수학'이라는 말만 들어도 무기력함을 느낀다면? 이 같은 상황은 모두 수학에 대한 불안감을 느끼는 증상의 일부이다. 그런데 최근 미국의 한 연구팀이 수학에 대한 불안감의 일부가 부모에게서 물려받아 형성된 것이라는 흥미로운 연구결과를 발표했다.

이 연구팀은 일란성 쌍둥이 216쌍과 이란성 쌍둥이 298쌍을 대상으로 연구를 실시한 결과 수학에 대한 불안감을 형성하는 원인의 40 %는 유전적인 요인에 따른 것으로 밝혀졌다. 나머지 60 %는 학교의 수준, 가정 형편 등 환경적 요인에 의한 것이었다.

채점 기준   요소별 채점

유창성 [5점] : 조건에 알맞게 신문기사를 구성하였는가?

채점 요소	점수
신문기사 내용이 수학과 관련된 경우	2점
선택한 그림과 신문기사의 내용이 어울리는 경우	2점
200자 내외로 작성한 경우	1점

독창성 [2점] : 아이디어가 통계적으로 보아 얼마나 드물게 나타나고 또 특별한가?

채점 요소	점수
제목을 정한 경우	1점
신문기사 내용이 객관적인 경우	1점

07 수학 STEAM

관련 단원	2학년 5단원 일차함수, 1학년 8단원 통계
평가 영역	문제 파악 능력, 문제 해결 능력

(1) 예시답안

* 다문화가정의 학생 수가 점점 증가하고 있다.
* 2006년에서 2012년의 6년간 다문화가정의 학생 수는 약 5배 증가하였다.
* 2010년에서 2011년의 1년간 약 7천 명의 다문화가정 학생 수가 증가하였다.
* 그래프의 모양이 1차 함수의 모양이다.
* 시간이 지날수록 더 많은 수가 증가했다.

채점 기준 총체적 채점

문제 파악 능력 [4점] : 그래프를 보고 다양한 사실을 찾아낼 수 있는가?

채점 요소	점수
적절한 내용 1가지마다	1점

(2)

* 시간이 지남에 따라 일정하게 증가하는 그래프로 표현되므로 매년 약 6,000명 정도가 증가하여 약 95,000명 정도가 될 것으로 예상된다.
* 시간이 지남에 따라 증가하는 정도가 더 가파르기 때문에 약 120,000명으로 예상된다.
* 충분히 증가하였다고 가정하여 지금과 비슷한 약 47,000명으로 예상된다.
* 우리 사회에 적응하지 못하는 외국인이 늘어나 약 40,000명 정도로 감소할 것으로 예상된다.

채점 기준　총체적 채점

문제 해결 능력 [8점] : 주어진 그래프를 바탕으로 학생 수를 예상할 수 있는가?

채점 요소	점수
적절한 내용 1가지마다	4점

08 과학 **사고력**

관련 단원	1학년 6단원 빛과 파동
평가 영역	탐구 능력

모범답안

파장이 길수록 장애물 뒤쪽으로 잘 돌아 들어가기(회절) 때문에 파장이 긴 소리는 모서리를 만나면 뒤쪽으로 돌아 들어가지만, 파장이 짧은 빛은 모서리를 만나도 뒤쪽으로 잘 돌아 들어가지 않기 때문이다.

해설

담을 사이에 두고 이야기를 주고 받을 때, 소리는 장애물 뒤쪽으로 잘 돌아 들어가는(회절 현상)에 의해 담 뒤에 있는 사람에게 들린다. 하지만 빛은 파장이 매우 짧아 회절이 잘 일어나지 않으므로 담 뒤의 사람이 보이지 않는다.

채점 기준   요소별 채점

탐구 능력 [6점] : 파동의 회절 현상을 알고 있는가?

채점 요소	점수
소리는 파장이 길어서 회절이 잘 일어남을 서술한 경우	3점
빛은 파장이 짧아서 회절이 잘 일어나지 않음을 서술한 경우	3점

09 과학 **사고력**

관련 단원	2학년 6단원 물질의 특성
평가 영역	개념 이해력

모범답안

(가) 드라이아이스는 분자끼리 결합을 하고, (나) 다이아몬드는 전체적으로 원자끼리 결합을 한다. 분자 사이의 결합은 원자 사이의 결합보다 약하기 때문에 (나)가 (가)보다 결합력이 매우 강하다. 따라서 (나)가 (가)보다 끓는점과 녹는점이 높다.

해설

분자끼리 결합하는 힘은 원자끼리 결합하는 힘보다 약하다. 결합을 떼어내는 데는 에너지가 필요하기 때문에 결합력이 클수록 끓는점과 녹는점이 높다.

채점 기준　요소별 채점

개념 이해력 [6점] : 분자 사이의 결합과 원자 사이의 결합의 차이점을 알고 있는가?

채점 요소	점수
드라이아이스는 분자 사이의 결합으로 이루어짐을 서술한 경우	2점
다이아몬드는 원자 사이의 결합으로 이루어짐을 서술한 경우	2점
분자 사이의 결합력과 원자 사이의 결합력의 차이점을 서술한 경우	2점

⑩ 과학 **사고력**

관련 단원	2학년 5단원 동물과 에너지
평가 영역	개념 이해력

모범답안

격렬한 운동으로 근육에 산소 공급이 원활하지 못하면 근육 세포가 무기 호흡을 하여 젖산이 생성된다. 근육 세포에 생성된 젖산으로 인해 근육 세포의 농도가 높아지고, 삼투 현상으로 인해 주변의 물을 흡수한다. 이로 인해 근육이 붓고 통증이 발생한다.

해설

갑자기 격렬한 운동을 하면 근육에서 필요한 에너지가 증가한다. 호흡으로 얻은 산소가 근육 세포로 빨리 전달되지 않으면 산소가 부족해지고, 근육 세포는 산소가 필요 없는 무기 호흡을 한다. 그 결과 젖산이 생성된다.

채점 기준   요소별 채점

개념 이해력 [6점] : 무기 호흡으로 생긴 젖산이 인체에 미치는 영향을 알고 있는가?

채점 요소	점수
격렬한 운동으로 산소 공급이 원활하지 못하면 근육 세포가 무기 호흡함을 서술한 경우	2점
무기 호흡을 통해 젖산이 만들어짐을 서술한 경우	2점
젖산 때문에 근육의 농도가 높아져 삼투 현상에 의해 주변의 물을 흡수하여 근육통이 생김을 서술한 경우	2점

11 과학 **사고력**

관련 단원	3학년 2단원 기권과 날씨
평가 영역	탐구 능력

예시답안

* 하늘이 파랗게 보이는 것은 대기의 산란 현상으로 보이는 것인데 대기가 없다면 산란이 일어나지 않아 하늘이 검게 보인다.
* 대기가 없어지면 기상 현상이 일어나지 않아 하늘에 구름이 생기고 비도 내리지 않는다.
* 대기로 인해 운석이 마찰에 의해 타버리거나 기상 현상에 의해 그 흔적이 없어지지만 대기가 없어지면 운석이 그대로 떨어지고 흔적이 지워지지 않아 지구 표면에 수많은 운석구덩이가 생길 것이다.
* 낮에는 태양빛이 표면에 그대로 도달하여 온도가 높고, 밤에는 그대로 열이 빠져나가기 때문에 낮과 밤의 온도 차가 커진다.
* 대기가 태양 복사 에너지를 흡수하는데 대기가 없어지면 이를 흡수하지 못해서 지구의 평균 기온이 낮아진다.
* 대기 중의 오존층이 자외선을 차단하는데, 대기가 없어지면 지표면에 더 많은 자외선이 도달한다.

해설

지구의 대기권은 지표면에서 약 1,000 km까지 존재하며, 주로 질소와 산소로 이루어져 있다. 대기의 역할은 생명체에 산소 공급, 온실 효과를 통한 지구 보온, 태양으로부터 오는 자외선 차단, 저위도의 에너지를 고위도로 운반, 운석으로부터 지구 보호 등이 있다.

채점 기준 총체적 채점

탐구 능력 [6점] : 지구 대기의 역할을 알고 있는가?

채점 요소	점수
적절한 변화 1가지마다	1점

12 과학 **창의성**

관련 단원	3학년 6단원 에너지 전환과 보존
평가 영역	유창성, 독창성

예시답안

* 영구 기관을 만들 수 없는 이유
- 열역학 제1법칙에 의하면 외부에서 에너지를 공급하지 않으면 내부 에너지의 변화와 한 일의 양의 합이 0이 된다. 외부 에너지의 공급없이 일을 하게 되면 내부 에너지를 소비하게 되고 내부 에너지를 소비하는 것은 한계가 있으므로 결국 더 이상 일을 할 수 없게 된다.
- 영구적으로 외부 에너지의 공급없이 일을 할 수 있다는 것은 0의 에너지를 가지고 무한한 에너지를 만들어 내는 것과 같으므로 불가능하다.
* 영구 기관의 모순점
  구슬(물)이 회전판에 작용하는 힘은 회전축으로부터 거리가 멀수록 커지므로 왼쪽 구슬(물)과 오른쪽 구슬(물)이 회전판에 작용하는 힘이 같아 회전할 수 없다.

해설

제1종 영구 기관은 외부로부터 에너지를 공급받지 않고 영구적으로 일을 할 수 있는, 즉 에너지의 공급없이 계속 일을 할 수 있는 가상적인 기관이다. 열역학 제1법칙은 에너지 보존 법칙으로, 에너지는 다른 형태로 전환될 뿐 새로 만들어지거나 없어지지 않는다.

채점 기준 　요소별 채점

유창성 [5점] : 영구 기관을 만들 수 없는 이유를 알고 있는가?

채점 요소	점수
만들 수 없는 이유를 열역학 제1법칙과 관련지어 설명한 경우	3점
모순점을 설명한 경우	2점

독창성 [2점] : 아이디어가 통계적으로 보아 얼마나 드물게 나타나고 또 특별한가?

채점 요소	점수
영구 기관을 만들 수 없는 이유를 알기 쉽게 서술한 경우	1점
영구 기관의 모순점을 알기 쉽게 서술한 경우	1점

⑬ 과학 **창의성**

관련 단원	2학년 7단원 수권과 해수의 순환
평가 영역	유창성, 독창성

예시답안

*   폐식용유가 물 오염의 큰 원인인 이유

    폐식용유는 지방의 한 종류로 물속에 들어가면 미생물이 이용할 수 있는 양분이 늘어나기 때문에 미생물의 수가 급격하게 많아진다. 미생물의 수가 급격히 증가하면 물속의 물고기가 호흡할 때 필요한 산소가 부족해지기 때문에 질식해서 죽게 된다.
*   오염된 물을 깨끗하게 할 수 있는 방법
−   하수 처리 시설과 같은 정화 장치를 마련한다.
−   맑은 물을 유입하여 오염 물질을 희석시킨다.
−   수온을 증가시켜 물을 정화시키는 미생물의 활동을 활발하게 하여 오염 물질의 분해를 빠르게 한다.
−   물의 흐름을 빠르게 하여 공기와 물의 접촉을 늘려 자연 정화의 속도를 빠르게 한다.
−   오염 물질을 흡수하여 정화하는 능력이 좋은 갈대, 부들, 고마리, 미나리 등의 수생 식물을 재배하여 식물 정화지를 만든다.

채점 기준   요소별 채점

유창성 [5점] : 오염된 물을 깨끗하게 하는 방법을 알고 있는가?

채점 요소	점수
폐식용유가 물 오염의 큰 원인인 이유를 서술한 경우	2점
물 정화 방법을 1~2가지 서술한 경우	1점
물 정화 방법을 3~4가지 서술한 경우	2점
물 정화 방법을 5가지 서술한 경우	3점

독창성 [2점] : 아이디어가 통계적으로 보아 얼마나 드물게 나타나고 또 특별한가?

채점 요소	점수
하수 처리 시설과 같은 정화 장치를 서술한 경우	1점
정화 장치 외 다른 방법을 서술한 경우	1점

14 과학 STEAM

관련 단원	2학년 4단원 식물과 에너지
평가 영역	문제 파악 능력, 문제 해결 능력

(1) 예시답안

* 바이오연료 생산을 위한 벌목 지역 개발(팜유 농장 확대)
* 가축 방목
* 연료 채취
* 도로 건설
* 광물 채굴

해설

팜유는 과자나 아이스크림, 초콜릿, 식용유, 화장품, 비누, 윤활유 등 다양한 용도로 사용된다. 또 석유 가격 급등 이후에는 바이오연료를 생산한다는 이유로 숲을 개간해 팜유 농장을 세우는 곳이 늘고 있다. 바이오연료는 석유 등의 화석연료보다 이산화 탄소 배출이 적어 친환경 연료로 부상하고 있지만, 이 같은 바이오연료의 수요 증가가 오히려 산림 파괴를 부추겨, 온실가스 배출량이 현재의 배출량 이상으로 증가할 수 있다는 우려도 제기되고 있다. 미국 스탠퍼드대학 산림환경연구소의 연구결과에 의하면 브라질과 인도네시아, 말레이시아 등에서는 바이오연료 작물 재배를 크게 늘리고 있는데, 이로 인해 온전한 숲이 파괴되고 있다는 것이다. 따라서 유럽연합(EU)은 열대우림을 개간한 땅에서 생산된 바이오연료의 경우 수입을 금지하고 있다.

채점 기준   총체적 채점

문제 파악 능력 [4점] : 원시림이 사라지는 원인을 알고 있는가?

채점 요소	점수
1~2가지를 서술한 경우	1점
3가지를 서술한 경우	2점
4가지를 서술한 경우	3점
5가지를 서술한 경우	4점

(2)

* 탄소저장고로 이산화 탄소 흡수 능력이 좋고, 뿌리는 수질 정화 능력이 좋다.
* 자연 해안 방어 형태로 작용하여 해안의 침식을 막고 파도를 약화시킨다.
* 폭풍으로 인한 파도의 높이를 줄여준다.
* 장기적으로는 지구온난화로 인해 수위가 상승하는 바다에 맞서서 고지를 높이거나 유지하는 데 도움이 된다.

해설

말레이시아의 경우를 예로 들면 양식으로 얻는 연간 가치는 1천 70만 달러이지만, 맹그로브 숲 생산물의 연간 평가 가치는 약 1천 230만 달러로 추정된다. 또한 맹그로브 숲을 없애고 호텔을 지은 멕시코 칸쿤에서는 그 후 해안 침식이 넓어져 계속해서 해안을 인공적으로 메우고 있다.

채점 기준 총체적 채점

문제 해결 능력 [8점] : 맹그로브 숲이 환경에 미치는 영향을 알고 있는가?

채점 요소	점수
적절한 영항 1가지마다	2점

모의고사 3회 평가 가이드

「창의적 문제해결력」 모의고사

평가 가이드

문항 \ 평가영역	수학 사고력		수학 창의성		수학 STEAM	
	개념 이해력	개념 응용력	유창성	독창성	문제 파악 능력	문제 해결 능력
1	점					
2		점				
3	점					
4		점				
5			점			
6			점	점		
7					점	점

평가 영역별 점수	개념 이해력	개념 응용력	유창성	독창성	문제 파악 능력	문제 해결 능력
	수학 사고력		수학 창의성		수학 STEAM	
	/ 24점		/ 14점		/ 12점	

수학	총점	

● 평가 결과에 따른 학습 방향

사고력
- **21점 이상** 정확하게 답안을 작성하는 연습을 하세요.
- **14~20점** 교과 개념과 연관된 응용문제로 문제 적응력을 기르세요.
- **14점 미만** 틀린 문항과 관련된 교과 개념을 다시 공부하세요.

창의성
- **12점 이상** 보다 독창성 있는 아이디어를 내는 연습을 하세요.
- **8~11점** 다양한 관점의 아이디어를 더 내는 연습을 하세요.
- **8점 미만** 적절한 아이디어를 더 내는 연습을 하세요.

STEAM
- **10점 이상** 답안을 보다 구체적으로 작성하는 연습을 하세요.
- **7~9점** 문제 해결 방안의 아이디어를 다양하게 내는 연습을 하세요.
- **7점 미만** 실생활과 관련된 수학 기사로 수학적 사고를 확장하는 연습을 하세요.

평가영역 문항	과학 사고력		과학 창의성		과학 STEAM	
	개념 이해력	탐구 능력	유창성	독창성	문제 파악 능력	문제 해결 능력
8		점				
9		점				
10	점					
11	점					
12			점	점		
13			점	점		
14					점	점

평가 영역별 점수	개념 이해력	탐구 능력	유창성	독창성	문제 파악 능력	문제 해결 능력
	과학 사고력		과학 창의성		과학 STEAM	
	/ 24점		/ 14점		/ 12점	

수학		총점	

● 평가 결과에 따른 학습 방향

사고력	21점 이상	정확하게 답안을 작성하는 연습을 하세요.
	14~20점	교과 개념과 연관된 응용문제로 문제 적응력을 기르세요.
	14점 미만	틀린 문항과 관련된 교과 개념을 다시 공부하세요.

창의성	12점 이상	보다 독창성 있는 아이디어를 내는 연습을 하세요.
	8~11점	다양한 관점의 아이디어를 더 내는 연습을 하세요.
	8점 미만	적절한 아이디어를 더 내는 연습을 하세요.

STEAM	10점 이상	답안을 보다 구체적으로 작성하는 연습을 하세요.
	7~9점	문제 해결 방안의 아이디어를 다양하게 내는 연습을 하세요.
	7점 미만	실생활과 관련된 과학 기사로 과학적 사고를 확장하는 연습을 하세요.

01 수학 **사고력**

관련 단원	2학년 6단원 확률
평가 영역	개념 이해력

모범답안

* 세 규칙의 확률 비교

〈규칙 1〉에서 A가 게임을 먼저 하게 될 확률은 $\frac{1}{2}$,

B가 먼저 게임을 하게 될 확률은 $\frac{1}{2}$이다.

〈규칙 2〉에서 A가 게임을 먼저 하게 될 확률은 $\frac{2}{4}=\frac{1}{2}$,

B가 먼저 게임을 하게 될 확률은 $\frac{2}{4}=\frac{1}{2}$이다.

〈규칙 3〉에서 A가 게임을 먼저 하게 될 확률은 $\frac{2}{8}=\frac{1}{4}$,

B가 먼저 게임을 하게 될 확률은 $\frac{6}{8}=\frac{3}{4}$이다.

따라서 〈규칙 1〉과 〈규칙 2〉는 공정한 규칙이고, 〈규칙 3〉은 공정하지 않다.
* 공정하지 않은 규칙 수정
  〈규칙 3〉을
  '3개의 동전 중에서 앞면이 2개 나오면 A가 먼저 게임을 하고,
  뒷면이 2개 나오면 B가 먼저 게임을 한다.'로 수정한다.

채점 기준 ▶ 요소별 채점

개념 이해력 [6점] : 각 규칙의 확률을 구할 수 있는가?

채점 요소	점수
각 규칙의 확률을 바르게 구한 경우마다	1점
각 규칙의 공정성을 서술한 경우	1점
공정하지 않은 규칙을 바르게 수정한 경우	2점

⑫ 수학 **사고력**

관련 단원	2학년 8단원 도형의 닮음
평가 영역	개념 응용력

모범답안

A 주전자와 B 주전자의 닮음비가 1 : 3이므로

A 주전자와 B 주전자의 겉넓이의 비는 1 : 3^2 = 1 : 9이고,

A 주전자와 B 주전자의 부피의 비는 1 : 3^3 = 1 : 27이다.

주전자의 식는 속도는 $\dfrac{겉넓이}{부피}$에 비례하므로

A 주전자의 식는 속도 : B 주전자의 식는 속도 = 1 : $\dfrac{9}{27}$ = 3 : 1이다.

따라서, A 주전자의 식는 속도가 B 주전자의 식는 속도보다 3배 더 빠르다.

채점 기준 요소별 채점

개념 응용력 [6점] : 두 주전자의 겉넓이와 부피의 비를 구할 수 있는가?

채점 요소	점수
두 주전자의 겉넓이의 비를 구한 경우	2점
두 주전자의 부피의 비를 구한 경우	2점
두 주전자의 $\dfrac{겉넓이}{부피}$를 구한 경우	1점
답을 바르게 구한 경우	1점

03 수학 **사고력**

관련 단원	2학년 7단원 도형의 성질, 2학년 8단원 도형의 닮음
평가 영역	개념 이해력

모범답안

$\overline{BC}$의 중점을 M이라 하고, 점 A에서 $\overline{PM}$에 평행한 선분을 그릴 때, BC와 만나는 점이 Q이다.

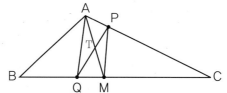

점 M이 $\overline{BC}$의 중점이므로 △ABM=△ACM이다. ⋯⋯ ㉠

$\overline{PM} /\!/ \overline{AQ}$이므로 △APM=△QPM이다. ⋯⋯ ㉡

$\overline{AM}$과 $\overline{PQ}$의 교점을 T라 하면, ㉡에 의해 △ATP=△QTM이다. ⋯⋯ ㉢

㉠, ㉡, ㉢에 의하여 □ABQP=△ABM=△ACM=△PQC이다.

따라서, $\overline{PQ}$는 △ABC의 넓이를 이등분한다.

채점 기준   요소별 채점

개념 이해력 [6점] : 두 삼각형의 넓이를 비교할 수 있는가?

채점 요소	점수
△ABM=△ACM을 서술한 경우	1점
$\overline{PM} /\!/ \overline{AQ}$이므로 △APM=△QPM을 서술한 경우	1점
△ATP=△QTM을 서술한 경우	2점
□ABQP=△PQC를 서술한 경우	2점

04 수학 **사고력**

관련 단원	2학년 6단원 확률
평가 영역	개념 응용력

예시답안

처음에 가운데 두 개의 성냥개비를 가져오면 왼쪽으로 49개, 오른쪽으로 49개의 성냥개비가 놓이게 된다. 연속해 있는 성냥개비만 가져갈 수 있으므로 왼쪽에서만 가져가거나 오른쪽에서만 가져갈 수 있다. 상대방이 가져가는 성냥개비와 같은 개수만큼 가운데 빈 곳을 중심으로 대칭이 되게 가져가면 이길 수 있다. 상대방이 한쪽에서 마지막 성냥개비를 가져가면 다른 쪽의 같은 위치에 같은 개수의 성냥개비가 남게 되므로 그것을 가져가면 된다.

채점 기준   요소별 채점

개념 응용력 [6점] : 마지막 성냥개비를 가져올 수 있는 방법을 생각할 수 있는가?

채점 요소	점수
이기기 위한 방법이 적절한 경우	3점
이기기 위한 방법에 대한 설명을 바르게 서술한 경우	3점

05 수학 **창의성**

관련 단원	2학년 7단원 도형의 성질
평가 영역	유창성

예시답안

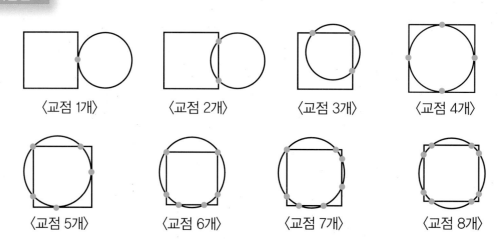

〈교점 1개〉	〈교점 2개〉	〈교점 3개〉	〈교점 4개〉

〈교점 5개〉	〈교점 6개〉	〈교점 7개〉	〈교점 8개〉

채점 기준   총체적 채점

유창성 [7점] : 원과 정사각형의 교점의 개수가 다양하도록 그릴 수 있는가?

채점 요소	점수
1~2가지를 그린 경우	1점
3가지를 그린 경우	2점
4가지를 그린 경우	3점
5가지를 그린 경우	4점
6가지를 그린 경우	5점
7가지를 그린 경우	6점
8가지를 그린 경우	7점

06 수학 **창의성**

관련 단원	2학년 7단원 도형의 성질
평가 영역	유창성, 독창성

예시답안

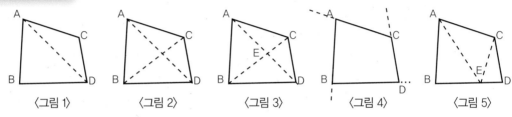

⟨그림 1⟩   ⟨그림 2⟩   ⟨그림 3⟩   ⟨그림 4⟩   ⟨그림 5⟩

① ⟨그림 1⟩에서 사각형을 삼각형 2개로 나눌 수 있으므로 $180° \times 2 = 360°$

② ⟨그림 2⟩에서 사각형의 두 대각선을 이으면 삼각형 4개가 만들어진다. $180° \times 4 - 360° = 360°$

③ ⟨그림 3⟩에서 사각형의 두 대각선을 이으면 삼각형 4개가 만들어진다.

   삼각형의 한 외각의 크기는 이웃하지 않는 두 내각의 크기와 같으므로

   $\triangle ABE$에서 $\angle EAB + \angle ABE = \angle BED$, $\triangle BDE$에서 $\angle EBD + \angle BDE = \angle BEA$,

   $\triangle CDE$에서 $\angle ECD + \angle CDE = \angle CEA$, $\triangle AEC$에서 $\angle ECA + \angle CAE = \angle DEC$

   따라서 $\angle A + \angle B + \angle C + \angle D = \angle BED + \angle BEA + \angle CEA + \angle DEC = 360°$

④ ⟨그림 4⟩에서 사각형의 각 변에 연장선을 그으면 네 외각의 합은 $360°$이므로 사각형의 네 내각과 외각을 모두 합한 것에서 네 외각의 합 $360°$를 빼면 된다. $180° \times 4 - 360° = 360°$

⑤ ⟨그림 5⟩에서 3개의 삼각형으로 나눈다. $180° \times 3 - 180° = 360°$

채점 기준 총체적 채점

유창성 [5점] : 사각형 내각의 합이 $360°$임을 증명할 수 있는가?

채점 요소	점수
1가지를 서술한 경우	1점
2가지를 서술한 경우	3점
3가지를 서술한 경우	5점

독창성 [2점] : 아이디어가 통계적으로 보아 얼마나 드물게 나타나고 또 특별한가?

채점 요소	점수
삼각형 내각의 합을 이용하여 서술한 경우	1점
외각을 이용하여 서술한 경우	1점

07 수학 STEAM

관련 단원	2학년 8단원 도형의 닮음
평가 영역	문제 파악 능력, 문제 해결 능력

(1)

모범답안

* 종류 : 정삼각형, 정사각형, 정육각형
* 이유

정삼각형의 한 내각은 60°이므로 6개가 모이면 360°, 정사각형의 한 내각은 90°이므로 4개가 모이면 360°, 정육각형의 한 내각은 120°이므로 3개가 모이면 360°이다.

정오각형은 한 내각이 108°이므로 $\dfrac{360°}{108°}$ 는 정수가 아니고, 정칠각형 이상은 한 꼭짓점에 3개의 도형이 모이면 360°를 초과하므로 정다각형 테셀레이션을 만들 수 없다.

채점 기준 요소별 채점

문제 파악 능력 [4점] : 테셀레이션을 만들 수 있는 정다각형의 종류를 알고 있는가?

채점 요소	점수
테셀레이션을 만들 수 있는 3가지 정다각형을 서술한 경우	2점
3가지 정다각형으로 테셀레이션을 만들 수 있는 이유를 서술한 경우	1점
그 외 정다각형으로 테셀레이션을 만들 수 없는 이유를 서술한 경우	1점

(2)

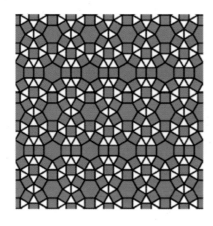
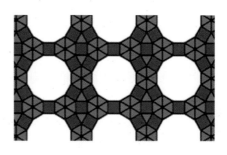
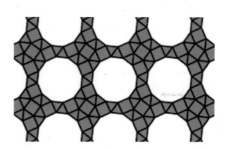

채점 기준 총체적 채점

문제 해결 능력 [8점] : 정다각형을 이용한 테셀레이션으로 바닥을 디자인할 수 있는가?

채점 요소	점수
〈조건 1〉을 만족하는 모양을 디자인한 경우	2점
〈조건 2〉를 만족하는 모양을 디자인한 경우	2점
〈조건 3〉을 만족하는 모양을 디자인한 경우	2점
〈조건 4〉를 만족하는 모양을 디자인한 경우	2점

(08) 과학 **사고력**

관련 단원	3학년 6단원 에너지 전환과 보존
평가 영역	탐구 능력

모범답안

* 가장 빠른 속력으로 도착한 롤러코스터
  도착 지점과 출발 지점의 높이가 같으므로 감소한 위치 에너지가 모두 같기 때문에 물체가 도착한 속력은 어느 경로나 모두 같다.
* 가장 먼저 도착하는 롤러코스터
  경로 A를 지난 롤러코스터는 속력이 점점 감소하다가 증가하고, 경로 B를 지나는 롤러코스터는 속력이 일정하고, 경로 C를 지나는 롤러코스터는 속력이 점점 증가하다가 감소하므로 평균 속력이 가장 큰 경로 C를 지나는 롤러코스터가 가장 먼저 도착한다.

해설

롤러코스터가 출발할 때 가진 위치 에너지는 도착점에서 운동 에너지로 바뀐다. 세 경로 모두 같은 높이에 있었으므로 같은 양의 위치 에너지가 모두 운동 에너지로 바뀌었으므로 같은 도착 위치에서의 속력은 모두 같다. 도착점에서의 속력은 모두 같지만 경로에 따라 평균 속력이 모두 다르기 때문에 속력이 점점 빨랐다가 감소한 경로 C의 롤러코스터가 가장 먼저 도달한다.

채점 기준　요소별 채점

탐구 능력 [6점] : 롤러코스터의 역학적 에너지 변화를 알고 있는가?

채점 요소	점수
가장 빠른 속력으로 도착한 롤러코스터의 경로를 찾고 이유를 서술한 경우	3점
가장 먼저 도착하는 롤러코스터의 경로를 찾고 이유를 서술한 경우	3점

09 과학 **사고력**

관련 단원	2학년 6단원 물질의 특성
평가 영역	탐구 능력

모범답안

* 얼음이 잘린 이유

  얼음과 닿아 있는 철사가 추의 무게에 의해 얼음에 압력을 가하면 얼음의 녹는점이 0 ℃보다 낮아져 얼음이 녹는다.

* 얼음이 다시 붙는 이유

  철사가 내려간 후에 얼음에 작용하는 압력은 다시 대기압이 되어 녹는점이 0 ℃가 되기 때문에 다시 얼면서 붙는다.

해설

압력이 높아질수록 녹는점은 낮아진다. 얼음 위에서 스케이트를 타면 스케이트 날이 얼음에 주는 압력이 크기 때문에 얼음의 녹는점이 낮아져 스케이트 날 밑에 물이 생긴다. 물이 생기면 마찰력이 줄어들어 잘 미끄러지기 때문에 스케이트 날을 날카롭게 만들어야 얼음 위에서 잘 미끄러질 수 있다.

채점 기준   요소별 채점

탐구 능력 [6점] : 압력과 녹는점의 관계를 알고 있는가?

채점 요소	점수
얼음이 잘린 이유를 서술한 경우	3점
얼음이 다시 붙는 이유를 서술한 경우	3점

⑩ 과학 사고력

관련 단원	3학년 4단원 자극과 반응
평가 영역	개념 이해력

모범답안

멀미는 시각에서 얻는 정보와 평형 감각의 정보가 서로 다를 때 생기는 현상이다. 우주 멀미는 무중력 공간에서 평형 감각이 적응하는 과정에서 발생한다.

해설

자동차나 배 안에서 책을 읽으면 멀미가 더 잘 발생한다. 그 이유는 책을 읽을 때 시각 정보에서는 몸이 거의 정지되어 있는 것으로 판단하지만 평형 감각 기관인 반고리관의 림프액은 계속 움직이고 있기 때문에 몸이 움직이고 있다는 신호를 뇌에 보낸다. 그러면 시각 정보와 평형 감각 정보가 뇌에서 서로 다르게 전달되기 때문에 멀미가 생기는 것이다. 우주인이 우주에 나가면 공간적인 방향 감각을 느낄 수 없어 우리 몸의 평형 감각이 이에 적응하는 과정에서 멀미가 발생한다.

채점 기준 요소별 채점

개념 이해력 [6점] : 멀미가 나는 이유를 알고 있는가?

채점 요소	점수
멀미가 나는 이유를 서술한 경우	3점
우주에서 평형 감각과 시각 정보가 다름을 서술한 경우	3점

11 과학 **사고력**

관련 단원	3학년 2단원 기권과 날씨
평가 영역	개념 이해력

예시답안

* 대류권 계면의 높이가 지금보다 높아진다.
* 대류권의 기온 감소율이 지금보다 높은 곳까지 나타난다.
* 자외선이 그대로 지표면에 도달한다.
* 자외선으로 인해 생태계가 파괴된다.
* 자외선으로 인해 피부암의 발병률이 높아진다.

해설

오존층의 오존은 태양으로부터 오는 자외선을 흡수하여 산소로 변하기 때문에 자외선이 지구로 들어오는 것을 막아준다. 만약 오존층이 없어 자외선이 그대로 지표면에 도달하면, 사람은 자외선을 많이 쪼이게 되어 피부암의 발생이 늘어나고, 백내장의 발생도 늘어나게 된다. 이 외에도 면역 체계에 영향을 주어 여러 가지 질병이 발생할 수 있다.

채점 기준   총체적 채점

개념 이해력 [6점] : 오존층이 지구에 미치는 영향을 알고 있는가?

채점 요소	점수
1가지를 서술한 경우	1점
2가지를 서술한 경우	2점
3가지를 서술한 경우	3점
4가지를 서술한 경우	4점
5가지를 서술한 경우	6점

12 과학 **창의성**

관련 단원	2학년 6단원 물질의 특성
평가 영역	유창성, 독창성

예시답안

* 가장 강한 결합을 하는 결합쌍 : A, D
  접촉하는 모서리가 가장 길기 때문이다.
* 가장 약한 결합을 하는 결합쌍 : C, D
  접촉하는 모서리의 길이가 가장 짧기 때문이다.(한 점에서만 접촉하기 때문이다.)

해설

모양과 접촉된 모서리에 의해서 원자 사이의 결합력이 결정되기 때문에 접촉하는 길이가 가장 긴 것이 결합력이 가장 크고, 접촉하는 길이가 가장 짧은 것이 결합력이 가장 작다.

채점 기준 　요소별 채점

유창성 [6점] : 원자의 모양과 결합력의 관계를 알고 있는가?

채점 요소	점수
가장 강한 결합을 하는 결합쌍을 고르고 이유를 서술한 경우	3점
가장 약한 결합을 하는 결합쌍을 고르고 이유를 서술한 경우	3점

독창성 [1점] : 아이디어가 통계적으로 보아 얼마나 드물게 나타나고 또 특별한가?

채점 요소	점수
그림을 그려서 설명한 경우	1점

⑬ 과학 **창의성**

관련 단원	3학년 4단원 자극과 반응
평가 영역	유창성, 독창성

예시답안

* 생장 호르몬을 노화 방지 목적으로 이용하는 것은 사람의 수명을 연장시키고, 삶의 질을 높이는 데 기여할 수 있다.
* 생장 호르몬은 정상적인 세포뿐만 아니라 암세포의 생장도 촉진시킬 수 있어 남용하지는 말아야 한다.
* 생장 호르몬과 같은 호르몬제는 가격이 매우 비싸기 때문에 그 혜택을 받을 수 있는 사람이 한정되어 있다. 따라서 호르몬제를 모든 사람이 골고루 사용할 수 있는 방법을 우선 마련한 후 사용해야 한다.

해설

생장 호르몬은 근육과 뼈를 성장시키고, 단백질의 합성, 물과 무기 염류의 균형 조절, 심리적인 안정 등에 영향을 미친다. 특히 성장기의 생장 호르몬은 근육과 뼈를 성장시키는 역할을 하지만 과다하게 분비되면 거인증이 나타날 수 있다. 성장기 이후에 과다하게 생장 호르몬이 분비되면 말단 비대증이 생길 수 있다. 하지만 성인에게 적당한 생장 호르몬은 골밀도를 증가시키고, 복부에 피하 지방이 쌓이는 것을 막아주며, 혈액 내의 콜레스테롤 농도를 떨어뜨리는 효과가 있다. 또한 피부와 근육을 탄력 있게 유지시켜 주는 역할을 한다.

채점 기준 　총체적 채점

유창성 [5점] : 생장 호르몬의 역할을 알고 있는가?

채점 요소	점수
1가지를 서술한 경우	1점
2가지를 서술한 경우	3점
3가지를 서술한 경우	5점

독창성 [2점] : 아이디어가 통계적으로 보아 얼마나 드물게 나타나고 또 특별한가?

채점 요소	점수
좋은 점 또는 나쁜 점만 서술한 경우	1점
좋은 점과 나쁜 점을 모두 서술한 경우	2점

14 과학 STEAM

관련 단원	2학년 7단원 수권과 해수의 순환
평가 영역	문제 파악 능력, 문제 해결 능력

(1)

모범답안

따뜻한 남쪽의 구로시오 해류가 대한 해협을 통해 동해로 들어와 식는 과정에서 기체 용해도가 높아져 더 많은 이산화 탄소가 동해에 녹아들고 있기 때문이다.

해설

동해의 활발한 해수 움직임이 바다 식물의 광합성을 증진시켜 더 많은 이산화 탄소가 필요하게 되자 동해가 공기 중의 이산화 탄소를 더 많이 흡수하고 있다. 이 때문에 동해는 이산화 탄소 양이 증가하고 표면에서 심해까지 산소량은 1950년 초반보다 20 % 가까이 줄었다. 특히 겨울이 되면 표층수가 냉각되면서 무거워져 바닷속 깊은 곳으로 내려가 산소를 전달하는데, 지구 온난화로 겨울 해수 온도가 올라가 순환이 제대로 이뤄지지 못하면서 울릉도 남쪽 심해에서는 산소가 거의 없는 현상까지 나타나고 있다. 100년 후에는 동해 바다가 무산소 상태로 변할 것이라는 분석도 있다.

채점 기준   요소별 채점

문제 파악 능력 [4점] : 온도에 따른 기체의 용해도를 알고 있는가?

채점 요소	점수
우리나라 주변에 구로시오 해류가 동해로 이동함을 서술한 경우	1점
해류의 온도가 낮아질수록 기체의 용해도가 증가함을 서술한 경우	1점
구로시오 해류의 온도가 낮아지면서 이산화 탄소가 많이 용해됨을 서술한 경우	2점

(2)

* 조개나 갑각류, 산호의 껍데기와 골격 형성을 방해한다.
* 식물성 플랑크톤과 동물성 플랑크톤의 성장에 영향을 미친다.
* 해양 생태계의 근간인 플랑크톤이 줄어들면 먹이사슬을 통해 해양 생태계 전체가 영향을 받게 되며 향후 수산물의 양도 줄어들게 될 것이다.
* 해양에서 얻을 수 있는 생물 자원뿐만 아니라 광물 자원, 관광 자원, 에너지 자원, 해수 자원도 영향을 받게 되므로 이용률이 감소하게 될 것이다.

채점 기준   총체적 채점

문제 해결 능력 [8점] : 바다의 산성화가 생태계에 미치는 영향을 알고 있는가?

채점 요소	점수
적절한 영향 1가지마다	2점

모의고사 4회 평가 가이드

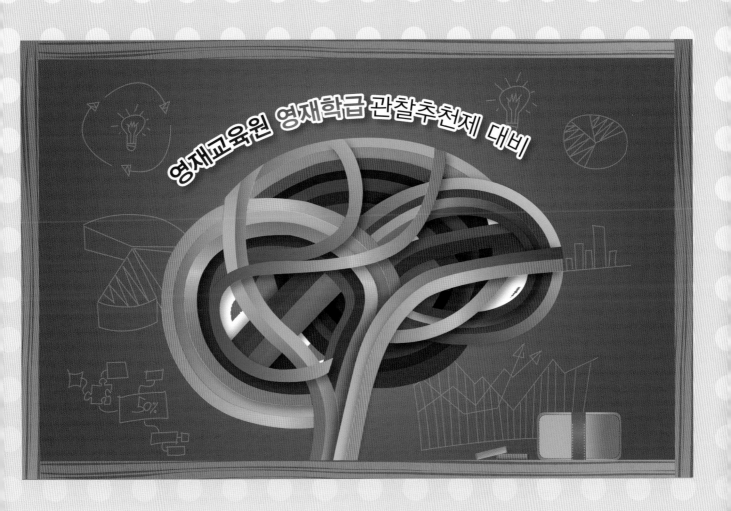

영재교육원 영재학급 관찰추천제 대비

안쌤의
「창의적 문제 해결력」 수학 과학 공통

모의고사

① 모의고사[4회]

● 최근 시행된 전국 관찰추천제 **기출 완벽 분석 및 반영**

● 서울권 창의적 문제해결력 **평가 대비**

● **영재성검사, 학문적성검사, 창의적 문제해결력 검사** 대비

② 평가 가이드 및 부록

● 영역별 점수에 따른 **학습 방향 제시와 차별화된 평가 가이드** 수록

● 창의적 문제해결력 평가와 면접 기출유형 및 예시답안이 포함된 **관찰추천제 사용설명서** 수록

안쌤의
「창의적 문제 해결력」

모의고사 14 문항 구성

전국 영재교육 대상자 선발
관찰추천제 유형에 따른 맞춤형 문항 구성!!

문항 구성		창의적 문제해결력 평가	영재성검사	학문적성검사	창의적 문제해결력 검사	창의 탐구력 검사
수학	사고력 4문항	●	●	●	●	
	창의성 2문항	●	●		●	●
	STEAM 1문항	●	●	●	●	●
과학	사고력 4문항	●	●	●	●	
	창의성 2문항	●	●		●	●
	STEAM 1문항	●	●	●	●	●

안쌤의
창의적 문제해결력 시리즈

초등 1~2 학년

초등 3~4 학년

초등 5~6 학년

중등 1~2 학년

안쌤의
줄기과학 시리즈

새 교육과정
3~4학년
학기별
STEAM 과학

3-1 **8강** 3-2 **8강**   4-1 **8강** 4-2 **8강**

새 교육과정
5~6학년
학기별
STEAM 과학

5-1 **8강** 5-2 **8강**   6-1 **8강** 6-2 **8강**

새 교육과정
중등 영역별
STEAM 과학

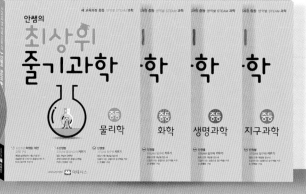

물리학 24강   **화학 16강**   **생명과학 16강**   **지구과학 16강**   **물리학 워크북**   **화학 워크북**

안쌤의
창의적 문제해결력 시리즈

초등 1~2 학년

초등 3~4 학년

초등 5~6 학년

중등 1~2 학년

안쌤의
줄기과학 시리즈

새 교육과정
3~4학년
학기별
STEAM 과학

3-1 **8강** 3-2 **8강**   4-1 **8강** 4-2 **8강**

새 교육과정
5~6학년
학기별
STEAM 과학

5-1 **8강** 5-2 **8강**   6-1 **8강** 6-2 **8강**

새 교육과정
중등 영역별
STEAM 과학

물리학 24강 **화학 16강** **생명과학 16강** **지구과학 16강**   **물리학 워크북**   **화학 워크북**

과학고 교육청 영재교육원 영재학급 대비

안쌤의
「창의적 문제 해결력」 수학과학 공통

중등
모의고사 1,2 학년

관찰
추천제 용
사 설명서

매스티안

안쌤 영재교육연구소

상위 1%가 되는 길로 안내하는 이정표로,
학생들이 꿈을 이루어갈 수 있도록 콘텐츠 개발과 강의 연구를 하고 있다.

안쌤영재교육연구소
카카오톡
친구 추가하고
교육 상담 받으세요~!!

저자 **안쌤 영재교육연구소**

안재범, 최은화, 유나영, 이상호, 추진희, 오아린, 허재이, 이민숙, 이나연, 김혜진, 김샛별

이 교재에 도움을 주신 선생님

고려욱, 김성희, 김정아, 김종욱, 마성재, 박진국, 백광열, 어유선, 유영란, 이석영, 이선학,
이은덕, 장수진, 전익찬, 전진홍, 정영숙, 홍상혁

관찰추천제 사용설명서

① 영재교육원 종류 및 시기

기관	선발 방법	선발 시기
교육지원청 영재교육원	창의적 문제해결력 및 면접 평가	11월~12월
단위학교 영재교육원	창의적 문제해결력 및 면접 평가	11월~12월
직속기관 영재교육원	창의적 문제해결력 및 면접 평가	11월~12월
영재학급	창의적 문제해결력 및 면접 평가	2월~3월
대학부설 영재교육원	창의적 문제해결력 및 면접 평가	8월~11월

※ 지역별로 선발 과정이 다를 수 있으니 반드시 해당 영재교육원 모집 공고를 확인하세요.

② 일정 및 방법

• 교육지원청 영재교육원 및 직속기관, 단위학교 영재교육원

단계	주관	일정	세부 내용
지원 단계	학생	11월	• GED에서 지원서, 자기체크리스트 작성 • 지원서를 출력하여 소속 학교 담임교사에게 제출
추천 단계	소속 학교	11월	• 담임교사 학생 지원 자료 확인 및 창의적인성검사 제출 • 학교추천위원회 학교별 지원자 명단 확인 후 최종 추천
창의적 문제해결력 및 면접 평가 단계	교육지원청	12월	• 창의적 문제해결력 및 면접 평가 실시
최종 합격자 발표	교육지원청	12월	• 아래 합산 성적순 -교사 체크리스트 : 20점 -창의적 문제해결력 평가 : 70점 -면접 : 10점

③ 유의 사항

• 동일 교육청 소속 영재교육원 중복 지원 불가
• 동일 학년도 내에서 영재교육기관 합격자는 타 영재교육기관에 지원 불가
• 중복 지원이 허용되는 경우 중복 합격이 가능하지만 중복 등록은 불가

1 자기소개서란

자기소개서는 자신을 소개하는 글이다. 어떻게 자라왔고, 미래의 목표를 위해 현재 무엇을 하고 있으며, 장래계획은 무엇인지 서술한다. 따라서 과거와 현재, 미래가 일관되고 유기적으로 조합되어 있어야 자신을 잘 드러낼 수 있다. 자기소개서는 꾸밈없이 진솔하게 작성해야 한다. 거짓이나 과장이 들어 있으면 안 된다. 자신을 돋보이려고 화려하게 꾸미는 것도 좋은 결과를 낼 수 없다.

자기를 소개하는 글을 써본 적이 없는 학생들이 갑작스럽게 자기소개서를 작성한다는 것은 굉장히 부담스럽고 어려운 일이다. 그러나 자기소개서는 반드시 자신이 직접 써야 한다. 자기소개서를 잘 작성하려면 논술처럼 선생님의 지도만으로는 어렵다. 스스로 작성하지 않고 다른 사람의 도움을 받아 글을 작성한 경우는 심층 면접 과정을 통해 고스란히 밝혀질 수밖에 없다. 그러므로 평소에 자기 자신을 잘 나타낼 수 있도록 글을 쓰고, 수시로 글을 수정하는 노력이 필요하다.

2 자기소개서를 쓰는 이유

영재교육원에서 자기소개서를 요구하는 이유는 무엇일까? 자기소개서는 학생생활기록부만으로는 평가할 수 없는 지원자의 능력을 보다 객관적으로 세밀하게 파악할 수 있는 방법이다. 가정 환경이나 성장 과정으로 개인의 성격이나 가치관을 파악할 수 있으며, 지원 동기로 지원자의 열정과 장래성을 알 수 있다. 따라서 자기소개서에 일반적이고 추상적인 문구를 나열하기보다는, 자신의 강점을 뒷받침해 줄 수 있는 구체적인 일화나 경험이 있으면 좋다.

3 자기소개서를 쓰기 전에 해야 할 일

자기소개서를 쓰기 전에, 먼저 준비해야 할 것이 있다. 자신의 진로에 대한 확실한 목표를 정해야 한다. 나는 왜 영재교육원에서 공부하고 싶은지, 영재교육원 수업이 나의 진로에 어떠한 도움이 되는지, 나는 장차 무엇이 될지에 대한 확실한 목표가 있어야 한다. 자신의 진로에 대한 고민과 분명한 목표를 가지고 있으면 일관성 있는 자기소개서를 작성하기 쉽다. 또한 분명한 목표를 가지고 준비하는 사람만이 합격의 영광을 맛볼 수 있다. 진로에 대한 뚜렷한 목표가 있어야 성공에 대한 기대치가 크게 나타나며, 자신을 발전할 수 있게 만든다. 영재교육원에서도 목표 의식이 분명하고 자식의 진로에 대해 고민을 많이 한 학생을 선호하고 선발할 것이다.

4 자기소개서 작성 요령

자기소개서에는 정답이나 모범 답안이 없다. 각자 삶의 방식이 다양한 만큼 자기소개서 역시 다양할 수밖에 없다. 자기소개서는 무턱대고 자신을 칭찬하고 미화하는 목적의 글이 아니다. 대부분 학생이 과잉 자찬이나 과잉 겸손의 형태로 글을 쓰는데, 자기소개서는 과장되지 않아야 하고, 깔끔한 논리로 자신을 어필할 수 있도록 적어야 한다. 자기소개서를 작성하는 형식은 특별히 정해진 것이 없다. 문항별로 적합한 내용을 적어야 하고, 전체적으로는 내용이 일관되어야 한다.

가. 스토리텔링 기법을 활용하자.

스토리텔링 기법을 이용하면 자신의 진솔한 이야기와 경험을 살려 면접관에게 나의 이야기를 들려줄 수 있고, 다른 사람과는 다른 경험을 통해 나만의 독특한 이미지를 만들 수 있다. 그러나 자기소개서 전체를 이러한 사례를 나열하는 수준으로 작성해서는 안 된다. 자신의 강점이나 차별성을 잘 보여줄 수 있는 항목에 적당한 양의 사례를 추가하는 것이 좋다.

나. 자기소개서의 특징을 파악하자.

문항별로 적합한 내용을 적어야 하고, 전체적으로 내용이 일관되어야 한다. 추상적 사건을 나열하다 보면 정신만 없고 내용 전달이 어려워진다. 한 가지 또는 두 가지 사례를 구체적으로 적어 읽는 이로 하여금 신뢰감이 생기고 감동하도록 해야 한다.

다. 성장 과정을 기록하자.

가족 구성원의 특성, 가정 분위기 및 집안의 자랑거리, 부모님으로부터 얻은 교훈과 깨달음 등을 적는다. 단순히 나열하여 쓰기보다는 특별한 사건과 그로 인해 얻은 경험을 진솔하게 적는 것이 좋다. 처음 과학이나 수학에 흥미를 느낀 사례나 해당 분야와 관련 있는 집안의 분위기를 써도 좋다.

라. 지원동기를 구체적으로 적자.

지원 분야에 관심을 가지게 된 사건이나 계기, 관심 있는 분야에 관한 자신의 활동이나 노력 등을 구체적으로 적는다. 이는 자신이 지원 분야에 얼마나 큰 관심이 있으며, 이를 위해 꾸준히 어떠한 활동을 해왔다는 것을 보여준다. 단순히 영재원에 합격하는 것이 목적이 아니라, 내가 관심 있는 분야를 공부해 나가는 과정에서 영재원이 더 큰 도움이 될 것이라는 흐름으로 적는 것이 좋다. 지원동기에는 자신의 열정이 나타나야 하고, 앞으로 어떤 일들을 하고 싶다고 반드시 표현해야 한다.

마. 노력과 의미 있는 경험을 적자.

이 문항은 대부분 지원동기와 연결된다. 지원동기에서 노력과 활동을 하게 된 계기, 이유 등을 간단히 밝혔다. 그러므로 여기서는 다양한 활동과 노력을 강조하기보다는 의미 있다고 생각하는 활동과 자신의 노력을 한두 가지를 골라 구체적으로 적는다. 활동의 내용뿐만 아니라 그 이후의 느낀 점이나 변화된 점을 적으면 더욱 좋다.

바. 자신의 관심 분야를 적자.

관심 분야를 서술하는 문항은 지원동기, 학업계획, 진로 관련 문항과 연결되므로, 이들은 모두 반드시 유기적으로 연결되어야 한다. 관심을 가진 계기나 이유를 사례 형태로 기술하고, 이에 대한 증거로 독서나 체험 활동 등의 증거를 제시하고, 각종 대회에 참가한 경험이나 수상경력을 간단히 언급하면 좋다. 일회성으로 대회에 참가하거나 수상하는 것보다는 계속된 참가와 수상이 더 신뢰를 줄 수 있다.

사. 학업계획과 진로를 적자.

이 문항은 지원동기와 연결되는 문항으로, 내용이 서로 연결되도록 적어야 한다. 지원 분야 중 관심 있는 분야와 진로를 먼저 제시하고, 자신이 이것을 이루기 위해 어떠한 계획을 하여 어떠한 활동을 하고 있는지 적는다. 면접관들은 이 문항을 통해, 지원하는 분야에 대한 심화학습 정도를 알 수 있다.

아. 자신의 장점과 단점을 솔직히 적자.

장점은 구체적으로 적어야 하고, 너무 많은 장점을 장황하게 나열하는 것보다 강한 장점을 한두 가지만 적는 것이 좋다. 지원동기나 다른 문항에서 학업적 역량에 관한 장점을 적었다면, 여기서는 열정, 노력, 끈기, 몰입도 등 인성적인 측면을 강조하면 좋다. 자신의 장점이 크게 작용한 사례를 적으면 좋다. 단점은 이를 극복하기 위해 어떻게 노력하고 있는지를 사례로 적으면 강한 인상을 줄 수 있다.

자. 자기소개서에 특별한 제목을 넣자.

면접관들은 수십, 수백 개의 자기소개서를 읽는다. 수많은 자기소개서 중에서 자신의 자기소개가 눈에 띌 수 있도록, 자신을 압축하여 잘 표현할 수 있는 제목을 붙여 보자.

차. 키워드를 찾아 통일감 있게 쓰자.

자기소개서에는 다양한 항목이 있다. 항목별로 자신의 답변을 주요 키워드로 요약했을 때, 각 키워드가 관계성을 가지고 서로 연결되어 있으면서 전체적으로 모든 키워드가 일관성이 있어야 한다. 아무리 좋은 글을 썼다 해도 전체적인 통일감이 없다면 진실성이 드러나지 않기 때문이다. 자기소개서는 기본적으로 구체적이고, 진실성이 있어야 하며, 전체적인 일관성이 기본적인 원칙이다.

카. 자기소개서를 모두 작성한 후에는...

작성한 글이 매끄럽게 읽어지는지 확인하고, 맞춤법 및 띄어쓰기를 확인해야 한다. 여러 번 반복하여 읽어 보고, 수정 보완한다.

1 영재성 입증자료

영재성 입증자료는 지원자의 능력, 관심, 성취도를 나타내는 산출물이다. 발명품, 실험 및 탐구일지나 기록, 수학 과학 분야 블로그 운영 등의 각종 산출물로, 지원자의 영재성과 잠재력을 입증할 수 있는 자료이다. 영재성 입증자료는 짧은 기간에 준비하기 쉽지 않다. 영재성 입증자료는 영재원이나 과학고를 준비하는 학생들에게 서류 전형에서 중요한 요소이므로, 평소에 오랫동안 남들과는 다른 독창적인 것을 미리 준비해 두는 것이 좋다.

2 영재성 입증자료 작성 요령

가. 자신이 직접 작성하자.

서류심사 중에 원본을 봐야겠다고 판단되는 경우에는 추가 제출을 요구할 수도 있다. 그러므로 작고 초라해 보일지라도 본인이 스스로 한 것 중에서 골라야 한다.

나. 자기소개서와 연결하자.

지원자의 특별한 장점과 영재성을 부각할 수 있는 것이어야 한다. 자신을 어필할 수 있는 자료를 선택해 자기소개서 또는 추천서의 내용과 일관되게 작성해야 한다.

다. 일관되고 지속적인 자료가 열정을 보여준다.

영재성 입증자료는 관심 영역에 대한 학습의 확장이다. 1년 이상 한 분야를 공부하면서 궁금했던 내용을 조사하고 실험하는 등 다양한 방법으로 문제를 해결한 흔적이 드러나 있는 자료나 관심 분야의 독서 기록물 등이 과제집착력을 보여주기에 좋다.

라. 결과보다는 과정을 부각하자.

자료의 결과만 제시하는 것보다 이를 완성해 내는 과정에서의 구체적인 노력 및 과정을 서술하고, 그 과정에서 느낀 점, 배운 점, 그 경험을 바탕으로 미래의 모습에 대한 고민 또는 목표의 변화 과정을 자세히 서술하는 것이 좋다. 경시대회의 수상실적을 영재성 입증자료로 제출하는 것은 안 되지만, 대회를 통해 자신의 탐구 결과를 소개하거나 그 과정이 본인에게 어떤 의미가 있었는지에 대한 자료는 제출할 수 있다.

마. 독창성과 진실성이 엿보이는 자료를 찾자.

독창적인 자료란 콜럼버스의 달걀처럼 누구나 쉽게 할 수는 있지만, 아무나 할 수 없는 문제에 호기심을 가지고 다가선 것을 말한다. 우리 주위의 여러 현상을 관찰하고,

호기심이 생기는 주제를 선택한 후, 원인을 조사하고 자신의 교육과정에 해당되는 지식으로 검증하는 과정을 다루는 것이 좋다.

바. 영재성 입증자료로 가능한 것을 찾자.

자신의 능력이나 관심 및 성취도를 나타낼 수 있는 자료를 찾아야 한다. 대학부설영재원 탐구활동, 학교 과학 경진 대회 등에서 발표한 탐구자료, 실험, 관찰보고서, 각종 발명 대회에 출품한 발명품, 과학 관련 체험 행사나 캠프 등에 참가한 경험이나 수상 기록 등이 실린 신문 기사 스크랩, 집에서 진행한 관찰일지, 수학 및 과학 관련 도서 독후감 등이 해당한다. 위와 같은 실적이 없는 경우에는 각 대회 출전 준비 과정 및 출전 경험을 기록해도 좋다. 준비 과정에서 어떠한 노력을 했는지, 준비하면서 어떤 부분이 향상되었는지 기록한다. 영재원이나 올림피아드와 같은 대회의 실적을 영재성 입증자료로 직접적으로 제시할 수는 없지만 영재원이나 영재학급에서의 보고서나 활동지는 활용할 수 있다. 영재성 입증자료는 학생의 결과만 보는 것이 아니라 과정을 중요시하는 평가 방식이므로, 현재까지 공부한 내용에 대한 노력의 흔적을 볼 수 있는 것으로 준비하는 것이 좋다.

사. 영재성 입증자료로 사용할 수 없는 것을 알아두자.

올리피아드와 같은 경시대회 입상실적, 영재학급이나 영재원 수료증, 수학·과학·영어·한자 등의 인증 시험 점수, 상장으로 표현되는 자료, 연속성이 없는 예전 자료 등은 영재성 입증자료로 적합하지 않다.

아. 원본 및 산출물을 촬영한 사진을 첨부한다.

영재성 입증자료는 서면으로 제작된 것이어야 한다. 플라스틱 파일이나 외장메모리, 또는 입체적인 자료는 사진으로 대체한다. 산출물을 뚜렷이 확인할 수 있도록 촬영해야 하고, 지원자와 함께 촬영된 사진이 포함되어야 한다.

③ 영재성 입증자료 예시

가. 평소 수학과 과학에 얼마나 관심과 열정이 있는지를 증명하기 위해 꾸준히 작성한 것

관찰일기, 과학·수학 독후감, 탐구보고서, 수학이나 과학 관련 행사나 캠프에 참여했던 경험을 적은 보고서, 수학이나 과학과 관련된 신문이나 잡지 스크랩, 블로그 활동 등을 활용할 수 있다. 특히 관찰일기는 사고의 확장과정을 보여주기에 좋다.

나. 수상 실적을 이용

단순히 수상목록과 상장만 제출하면 안 된다. 탐구 주제 선정이유 → 탐구 동기 → 알고 싶었던 점 → 탐구를 통한 기대효과 → 탐구방법 → 탐구결과 → 느낀 점과 더 알고 싶은 점 순서로 참가 대회에서 탐구한 내용을 정리하면 좋다.

1 교육청 영재교육원, 영재학급 창의적 문제해결력 평가 (2학년)

수학 융합

1. 다음은 축구공의 전개도이다.

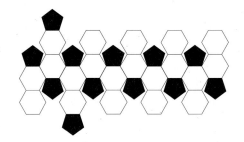

(1) 축구공 전개도의 특징을 적으시오.

[답안 작성]

[모범답안]
- 축구공은 꼭짓점 하나에 정육각형 2개, 정오각형 1개를 붙여서 만든 입체도형이다.
- 모든 평면도형의 변의 길이가 같다.
- 면의 개수가 32개인 32면체이다.
- 정오각형 12개, 정육각형 20개로 이루어진 도형이다.
- 한 꼭짓점에 모이는 도형의 개수가 3개이다.
- 꼭짓점의 개수는 60개이고, 모서리의 개수는 90개이다.

(2) 오각형 한 변 길이가 5 cm일 때 축구공 둘레의 길이를 구하시오.

[답안 작성]

[모범답안] 입체도형의 모서리 개수는 모두 90개이므로 90×5 cm = 450 cm이다.

1. (가), (나), (다)는 새의 부리 모습이다.

(가) 저어새

(나) 왜가리

(다) 독수리

(1) 부리 모습을 보고 각 새가 어떤 먹이를 먹는지 쓰시오.

[답안 작성]

[모범답안]
- 저어새 부리는 넓적한 주걱 모양이므로 물속에 있는 물고기, 물풀 등의 먹이를 걸러 먹기에 알맞다.
- 왜가리 부리는 창처럼 길고 뾰족하므로 물고기, 개구리, 쥐, 뱀, 곤충 등의 작은 먹이를 찔러서 잡기에 알맞다.
- 독수리 부리는 끝이 갈고리처럼 휘어지고 튼튼하므로 비둘기, 오리 등의 작은 먹이를 찢기에 알맞다.

[해설] 새의 부리는 살아가는 환경과 먹이의 종류에 따라 다른 모양으로 발달한다.

(2) 새 부리의 쓰임새를 5가지 쓰시오.

[답안 작성]

[모범답안] 먹이를 먹을 때, 깃털을 다듬을 때, 먹이를 사냥할 때, 둥지를 만들 때, 체온 조절 등

[해설] 새 부리는 혈관이 모여 있는 곳이며 표면은 딱딱한 키틴질로 싸여 있어 수분이 날아가지 않는다. 부리는 더운 날 수분 손실을 최대한 억제하면서 열을 내보내 체온을 조절한다.

1. 8칸×9칸 사각형이 있다.

(1) 8칸×9칸 사각형에 색칠을 하려고 할 때 모든 변이 닿지 않도록 하고, 가장 많은 칸을 색칠하려고
한다. 색칠할 수 있는 칸의 수는 몇 개인지 구하시오.

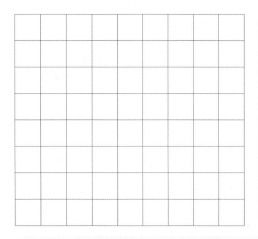

[답안 작성]

[모범답안] 색칠할 수 있는 칸의 수는 5×4 + 4×4 = 4×9 = 36칸이다.

[해설] 문제의 조건에 맞게 칸을 색칠해보고, 규칙성을 찾는다.

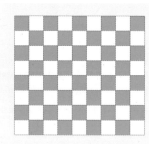

(2) 색칠한 도형의 둘레를 구하시오. (정사각형의 한 변의 길이는 1이다.)

[답안 작성]

[모범답안] 한 변의 길이가 1이므로 36×1×4 = 144이다.

[해설] 모든 변이 서로 닿지 않으므로 색칠한 도형의 둘레의 길이는 정사각형의 개수×한 변의 길이×4와 같다.

(3) 11칸×12칸 사각형인 경우 (1)과 같은 방법으로 색칠했을 때 색칠한 도형의 둘레를 구하시오.

[답안 작성]

[모범답안] (1)에서 찾은 규칙성을 활용하면 12칸의 정사각형이 이어진 한 줄에 6칸씩 칠할 수 있고, 그렇게 칠한 것이 11줄 있다는 것을 알 수 있다. 따라서 도형의 둘레는 6×11×1×4=264이다.

[해설] 12개의 정사각형이 이어진 한 줄에 한 칸씩 건너 색칠하면 모두 6칸을 색칠할 수 있다.

2. 주어진 수열을 보고 오른쪽으로 10번째, 아래쪽으로 4번째의 수를 구하시오.

1	2	9	10	25	26
4	3	8	11	24	27
5	6	7	12	23	28
16	15	14	13	22	29

⋯

⋮

[답안 작성]

[모범답안]

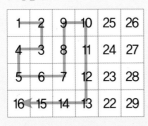

주어진 수열에서 수가 나열된 규칙은 다음과 같다.
위 규칙에 따르면 첫 번째 행(가로줄)의 짝수 열(세로줄)의 수는 2, 10, 26, ⋯이며 8, 16, 24, 32, ⋯ 8의 배수로 증가하는 것을 확인할 수 있다.
또한, 아래로 내려가며 1씩 커지는 수가 배열된다.
따라서 첫 번째 행의 오른쪽 10번째 수는 2+8+16+24+32=82이며, 아래쪽으로 4번째의 수는 82+3=85이다.

[해설] 수열의 규칙을 찾아 설명하고, 그 규칙을 이용해 답을 구한다.

1. 다음 실험을 보고 물음에 답하시오.

투명한 플라스틱 컵 (가)와 종이컵 (나)에 포도 주스와 얼음을 넣고 물기를 닦은 후 전자저울에 올려 무개를 재보니 200 g이었다.

(가) 플라스틱 컵 (나) 종이컵

하루가 지난 후, 두 컵에 나타나는 변화를 비교하여 쓰시오. (단, 유리판, 컵, 접시의 무게는 고려하지 않는다.)

[답안 작성]

[모범답안] 하루가 지나면, 플라스틱 컵의 무게는 그대로지만 종이컵의 무게는 증가한다. 포도 주스와 얼음을 컵에 넣어 두면 포도 주스의 온도가 내려가 컵 표면에 공기 중의 수증기가 물방울로 바뀐 이슬이 맺힌다. 플라스틱 컵에 맺힌 이슬은 시간이 지나면 증발해 사라지므로 무게가 같지만, 종이컵은 이슬을 흡수하므로 무게가 증가한다.

[해설] 두 컵 모두 위에 유리판을 덮었기 때문에 포도 주스가 증발하지 않으므로 주스의 양은 같다.

2. 실생활 속에서 응결과 증발의 예를 찾아 각각 2가지씩 쓰시오.

[답안 작성]

[모범답안]
- 증발 : 젖은 빨래가 서서히 마른다. 손을 씻고 닦지 않아도 마른다. 어항의 물이 줄어든다. 염전의 물이 증발하여 소금이 만들어진다. 젖은 오징어가 말라 마른 오징어가 된다. 등
- 응결 : 차가운 얼음물이 담겨 있는 컵에 물방울이 맺힌다. 새벽에 풀잎이나 나무 표면에 이슬이 맺힌다. 맑은 날 아침에 강가나 호숫가에 안개가 생긴다. 공기가 상승하여 높이 올라가면 구름이 생긴다. 등

[해설] 증발은 액체 표면에서 액체가 기체로 바뀌는 현상이고, 응결은 기체가 액체로 바뀌는 현상이다.

3. 가위에 새로운 기능을 추가하여 발명품을 만드시오.

[답안 작성]

[예시답안]
- 가위에 레이저를 단다. 종이를 자를 때 레이저가 종이에 비치므로 종이를 곧게 자를 수 있다.
- 가위 중앙에 받침대를 만들어서 가위 날이 식탁 바닥에 닿지 않도록 하면 음식을 깨끗하게 자를 수 있다.
- 가위 날을 여러 개를 만들어서 한 번에 여러 조각으로 자를 수 있게 만든다.
- 가위 날 두 개를 붙여서 채소를 한입 크기로 자를 수 있도록 한다.
- 가위 날을 둥글게 만들어서 새우처럼 둥근 물체를 자를 수 있도록 한다.
- 가위를 접어서 보관할 수 있게 만든다.

[해설] 주위의 물체를 잘 관찰하고 불편한 점을 개선하거나 새로운 기능을 추가하여 발명품을 만드는 연습을 한다.

③ 교육청 영재교육원, 영재학급 창의적 문제해결력 평가 (5~6학년)

1. 두 거울 사이의 각도와 거울에 비치는 상의 개수는 다음과 같다.

> 두 거울 사이의 각이 180°일 때 – 거울에 비치는 상의 개수 1개
> 두 거울 사이의 각이 90°일 때 – 거울에 비치는 상의 개수 3개
> 두 거울 사이의 각이 60°일 때 – 거울에 비치는 상의 개수 5개

(1) 두 거울 사이의 각도와 거울에 비치는 상의 개수 사이의 규칙성을 찾고, 두 거울 사이의 각이 30°일 때 거울에 비치는 상의 개수를 구하시오.

[답안 작성]

[모범답안] 두 거울 사이의 각이 90°일 때 거울에 비치는 상의 수는 3개, 60°일 때 거울에 비치는 상의 수는 5개이므로 상의 개수 = 360° ÷ 거울 사이의 각 – 1로 구할 수 있다.
따라서 거울 사이의 각이 30°일 때 거울에 비치는 상의 개수는 360° ÷ 30° – 1 = 11개이다.

[해설] 두 거울 사이의 각도와 거울에 비치는 상의 개수 사이의 규칙성을 찾는다.

(2) 두 거울 사이의 각도가 90°일 때 물체와 물체의 상은 사각형을 이룬다. 물체와 물체의 상이 오각형을 이룰 때 두 거울 사이의 각도를 구하시오.

[답안 작성]

[모범답안]
거울 사이의 각이 90°일 때 : 사각형
거울 사이의 각이 60°일 때 : 육각형
거울 사이의 각 = 정다각형의 한 외각의 크기이다.
정오각형의 한 외각의 크기는 72°이므로 오각형일 때의 거울 사이의 각도는 72°이다.

[해설] 거울 사이의 각도와 거울에 비치는 상과 물체로 만들어지는 정다각형의 한 외각 사이의 규칙성을 찾는다.

2. 다음은 성냥개비 6개로 만든 도형이다. 이 도형의 넓이의 2배가 되는 도형을 성냥개비 12개로 만드시오.

[답안 작성]

[모범답안]

[해설] 성냥개비 6개로 만든 정육각형의 넓이를 6등분 하면 다음과 같다. 육각형 모양의 도형 넓이의 2배가 되려면 육각형을 이루는 작은 정삼각형 12개와 넓이가 같은 도형을 만들면 된다.

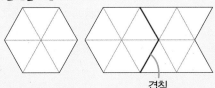

겹침

위와 같은 도형은 넓이는 2배이지만 사용된 성냥개비 개수가 10개뿐이므로 문제의 조건에 맞지 않는다.

1. 철수는 아래 사건의 원인을 알아보기 위해 실험을 하였다.

[사건]
2014년 8월 00일, 000 씨는 남대문 야외 주차장에 차를 주차한 뒤 자는 아이를 두고 내렸다. 잠시 후, 안전요원 000 씨가 아이가 차 안에 쓰러져 있는 것을 보고 119에 신고하였다. 차 안에 혼자 있던 아이는 차 안의 온도가 너무 많이 올라가 잠시 기절했지만, 다행히 생명에는 지장이 없었다.

[실험]
① 스타이로폼 상자 두 개에 온도계를 넣고 하나는 유리판을 덮고 다른 하나는 덮지 않는다.
② 두 스타이로폼 상자를 햇빛이 비추는 곳에 두고 5분 간격으로 스타이로폼 상자 안의 온도를 측정한다.

(1) 위 실험에서 철수가 생각한 가설을 쓰시오.

[답안 작성]

(2) 위 실험에서 같게 해 주어야 할 조건(3가지)과 다르게 해 주어야 할 조건(1가지)을 쓰시오.

[답안 작성]

(3) 다음은 위 실험의 결과이다. 그래프 A와 B 중 유리판을 덮은 스타이로폼 상자를 고르고 그렇게 생각한 이유를 쓰시오.

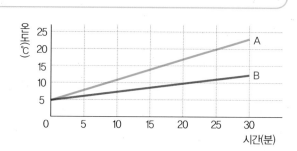

[답안 작성]

(4) 실험 장치의 온도 변화가 위 그래프와 같이 나타난 이유를 쓰시오.

[답안 작성]

(5) 실험 장치의 온도가 올라가지 않게 하기 위한 방법과 여름철 차 안의 온도가 올라가지 않게 하기 위한 방법을 각각 쓰시오.

[답안 작성]

(6) 실험에서 일사병의 원인을 찾고 해결 방안을 3가지 쓰시오.

[답안 작성]

[모범답안]
(1) 밀폐된 곳에서는 온도가 빨리 올라갈 것이다.
(2) • 같게 해야 할 것 : 스타이로폼 상자의 부피, 빛의 세기, 상자와 빛의 간격 등
     • 다르게 해야 할 것 : 상자의 밀폐
(3) A는 유리판을 덮은 스타이로폼 상자이고, B는 유리판을 덮지 않은 스타이로폼 상자이다. 스타이로폼 상자를 유리판으로 덮으면 밀폐되어 열이 빠져나가지 못하기 때문에 온도가 높아진다.
(4) 유리판을 덮으면 열이 스타이로폼 상자 내부에 갇혀 있으므로 온도가 빨리 올라간다. 하지만 유리판이 없으면 데워진 스타이로폼 상자 내부의 공기가 밖으로 빠져나가고 상대적으로 온도가 낮은 공기가 상자 안으로 들어오는 순환이 일어나므로 온도가 빨리 올라가지 않는다.
(5) • 실험 장치 : 스타이로폼 상자 내부의 공기가 순환 할 수 있도록 뚜껑을 열어 두고 공기가 빠르게 순환할 수 있도록 선풍기를 틀어준다. 햇빛을 반사할 수 있도록 스타이로폼 상자 위쪽에 반사판을 설치한다.
     • 차 : 그늘에 주차하고 창문을 열어 두어 공기가 순환하도록 한다. 차가 햇빛을 받지 않도록 덮개를 씌운다.
(6) 일사병은 오랫동안 높은 온도에 있을 때 체온이 상승하여 나타나는 병이다. 일사병을 예방하기 위해서는 오랜 시간 동안 뜨거운 햇빛 아래 있지 않아야 하고, 시원한 물을 자주 마시고, 바람이 잘 통하는 곳에서 충분히 휴식해야 한다.

수학

1. 오각형이 다음과 같이 겹쳐진 채로 그려져 있다. 겹쳐진 오각형의 개수에 따라 생기는 점의 개수와 나눠진 면의 개수에 관한 표를 만들고 규칙을 쓰시오.

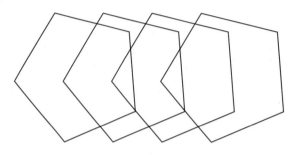

[답안 작성]

[모범답안]

오각형의 개수	2	3	4
점의 개수	2	6	10
면의 개수	3	7	11

겹쳐진 오각형의 개수가 1개씩 늘어남에 따라 생기는 점의 개수와 나누어진 면의 개수가 모두 4개씩 증가한다.

[해설] 오각형의 개수가 하나씩 늘어남에 따라 생기는 점과 나누어지는 면의 개수 사이의 규칙성을 찾는다.

2. 다음 물음에 답하시오.

(1) 한 번 접어서 같은 모양이 되는 것과 두 번 접어도 같은 모양이 되는 글자를 쓰시오.

[답안 작성]

(2) 자음과 모음 중 하나를 골라 두 글자 단어를 만든 뒤 그 단어가 나타내는 물체를 그림으로 그리고 그림에서 그 단어를 구성하는 자음이나 모음을 찾아 표시하시오.

[답안 작성]

1. 다음과 같이 수조에 검정말을 거꾸로 세워 고정한 후 검정말을 비추는 전등의 거리를 다르게 하면서 빛을 5분 동안 비추었다. 전등과 검정말 사이의 거리와 시험관 속의 기포 발생 수는 다음과 같았다.

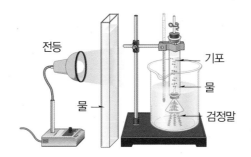

전등과 검정말 사이의 거리(cm)	5	10	15	20	…
검정말 기포 발생 수(개)	30	28	20	10	…

(1) 검정말이 광합성을 하는 증거를 2가지 쓰시오.

[답안 작성]

[모범답안]
• 검정말에서 산소가 발생한다.
• 모아진 기체에 불꽃을 가까이하면 잘 탄다.
• 검정말을 꺼내어 엽록소를 제거한 후 아이오딘 - 아이오딘화 칼륨 용액을 뿌리면 잎이 청람색으로 바뀐다.

[해설] 식물은 엽록체에서 빛에너지를 흡수하여 이산화 탄소와 물을 원료로 하여 포도당을 만들고 산소를 방출하는데, 이를 광합성이라고 한다. 광합성 결과 최초로 만들어지는 유기 양분은 포도당이지만 곧 녹말로 바뀌어 잎에 잠시 저장된다. 따라서 아이오딘 - 아이오딘화 칼륨 용액을 이용하여 광합성 산물을 확인할 수 있다.

(2) 시험관 속의 기포 수를 세는데 너무 작아서 세어지지 않는다. 이를 보완할 수 있는 방법을 쓰시오.

[답안 작성]

[모범답안] 온도를 38 ℃에 가깝게 맞춰 광합성량을 최대로 하고 이산화 탄소의 용해도를 낮춘다.

[해설] 광합성 결과 산소가 만들어지고, 그중 물에 녹지 못하는 산소는 기포가 된다. 기체는 온도가 높을수록 용해도가 낮아지므로 큰 기포가 생성된다. 또한 35~38 ℃일 때 광합성량이 최대이므로 발생하는 기포의 양이 많다.

(3) 시험관 속의 기포가 너무 가끔씩 발생하여 실험 결과를 측정하기 힘들었다. 이를 보완할 수 있는 있는 방법을 쓰시오.

[답안 작성]

[모범답안] 물 대신 이산화 탄소가 포함된 탄산수소 나트륨 용액을 넣고, 온도를 38 ℃에 가깝게 맞춰 광합성량을 최대로 해준다.

[해설] 광합성은 빛의 세기, 이산화 탄소의 농도, 온도에 의해 영향을 받는다. 빛의 세기에 의한 광합성량을 알아보는 실험이므로 이산화 탄소의 농도를 높게 하고 온도를 35~38 ℃에 가까이하면 광합성량이 최대가 된다.

① 교육청 영재교육원, 영재학급 면접 평가 (2학년)

응합

1. 동물이나 사물을 본 떠 만든 물건이 많다. 비행기는 새를 본 떠 만들었다.

① 전신 수영복은 무엇을 본 떠 만들었는지 쓰시오.

[답안 작성]

② 잠자리를 본 떠 만든 것은 무엇인지 쓰시오.

[답안 작성]

③ 벨크로(찍찍이)는 무엇을 본 떠 만든 것은 무엇인지 쓰시오.

[답안 작성]

[예시답안]
① 전신 수영복은 상어의 비늘을 본 떠 만들었다.
② 잠자리 날개의 펄럭임을 본 떠 비행 로봇을 만들었다.
③ 벨크로는 도꼬마리 열매를 본 떠 만들었다.

[해설] 상어의 비늘을 확대해 보면 작은 갈비뼈 모양으로 홈이 파여 있다. 물체의 표면에 미세한 홈을 달면 표면 마찰로 인한 저항을 줄일 수 있어 빠르게 수영할 수 있다.

전신 수영복 표면
상어비늘

▲ 잠자리 로봇

▲ 도꼬마리 열매

2. 만약 추운 북극지방에서 코끼리가 살아왔다면 어떤 모습일지 이유와 함께 5가지 쓰시오.

[답안 작성]

[예시답안]
• 추위를 견디기 위해 여러 겹의 털이 자랐을 것이다.
• 추위를 견디기 위해 몸에 두꺼운 지방층이 생겨 몸집이 지금보다 더 컸을 것이다.
• 체온이 빠져나가지 않도록 표면적을 줄이기 위해 귀의 크기가 작고, 꼬리도 짧았을 것이다.
• 먹이가 부족하여 낙타처럼 지방 덩어리를 혹으로 모아놓았을 것이다.
• 발은 펭귄처럼 원더네트(열교환 구조)나 혈액을 많이 흐르는 구조로 발이 얼지 않았을 것이다.
• 보호색으로 몸에 난 털이 하얀색이었을 것이다.
• 열이 빠져나가는 것을 막기 위해 몸이 둥글둥글해졌을 것이다.
• 추위를 이기기 위해 무리 지어 생활했을 것이다.

[해설] 추운 북극지방에서 코끼리가 살았다면 매머드와 비슷하게 모습이 변해 추위를 이겨냈을 것이다. 몸의 표면적을 줄여 체온을 유지하고, 발이 얼지 않는 구조로 환경에 적응했을 것이다.

교육청 영재교육원, 영재학급 면접 평가 (3, 4학년)

1. 20개의 상자에 각각 20개의 금반지가 들어 있다. 금반지 1개의 무게는 10 g이고 각 상자에는 모두 200 g의 금반지가 있다. 그러나 20개의 상자 중 1개에는 가짜 금반지가 있다. 가짜 금반지 1개의 무게는 9 g이고, 20개의 무게는 180 g이다. 전자저울을 한 번만 사용하여 가짜 금반지가 들어 있는 상자를 찾는 방법을 쓰시오.

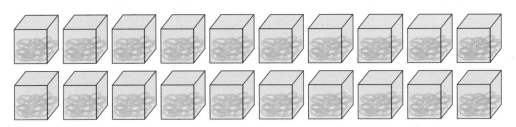

[답안 작성]

[모범답안] 각 상자에 1, 2, 3, …, 20까지 번호를 정하고, 1번 상자에서 금반지 1개, 2번 상자에서 금반지 2개, …, 20번 상자에서 금반지 20개를 꺼내어 무게를 전자저울로 측정한다.
만약 모든 금반지가 진짜라면 그 무게는 (1 + 2 + 3 + … + 20) × 10 g = 210 × 10 g = 2100 g일 것이다.
이 무게와 측정한 무게 사이의 차를 이용해 어느 상자에 가짜 금반지가 들어 있는지 알 수 있다.
만약 측정한 무게가 2097 g이라면 2100 g - 2097 g = 3 g이므로 3번 상자에 가짜 금반지가 들어 있다.

[해설] 각 상자에 번호를 정하고, 그 번호만큼의 반지를 꺼내어 무게를 측정한다.

2. ㉠~㉢ 5대의 차가 경주를 하고 있다. 5대의 차 중 ㉠, ㉢, ㉤은 빨간색이고 ㉡, ㉣은 파란색이다. 처음 5대의 순위는 ㉠-㉡-㉢-㉣-㉤이고, (가)부터 (마)까지 변화가 차례로 일어났다. 각 단계별로 차량의 순위를 쓰시오. (단, 추월은 바로 앞에 달리고 있는 차 1대만을 할 수 있다.)

출발

(가) ㉣이 ㉢을 추월했다.

(나) 파란색 차가 파란색 차 1대를 추월했다.

(다) 파란색 차가 빨간색 차 1대를 추월했다.

(라) 빨간색 차가 빨간색 차 1대를 추월했다.

(마) 빨간색 차 2대가 파란색 차 2대를 추월했다.

[답안 작성]

[모범답안]
• 처음 : ㉠ 빨간색 차 - ㉡ 파란색 차 - ㉢ 빨간색 차 - ㉣ 파란색 차 - ㉤ 빨간색 차
• (가) : ㉠ 빨간색 차 - ㉡ 파란색 차 - ㉣ 파란색 차 - ㉢ 빨간색 차 - ㉤ 빨간색 차
• (나) : ㉠ 빨간색 차 - ㉣ 파란색 차 - ㉡ 파란색 차 - ㉢ 빨간색 차 - ㉤ 빨간색 차
• (다) : ㉣ 파란색 차 - ㉠ 빨간색 차 - ㉡ 파란색 차 - ㉢ 빨간색 차 - ㉤ 빨간색 차
• (라) : ㉣ 파란색 차 - ㉠ 빨간색 차 - ㉡ 파란색 차 - ㉤ 빨간색 차 - ㉢ 빨간색 차
• (마) : ㉠ 빨간색 차 - ㉣ 파란색 차 - ㉤ 빨간색 차 - ㉡ 파란색 차 - ㉢ 빨간색 차

[해설] 추월은 바로 앞에 달리고 있는 차 1대만 할 수 있으므로 (가)부터 (라)까지 각 단계별로 추월이 가능한 차량을 찾아 5대의 차량 순위를 변경한다.

1. 우주인이 되어 달에서 생활해야 한다면 어떠한 기능을 갖춘 우주복을 입어야 할지 달의 환경을 고려하여 7가지 쓰시오.

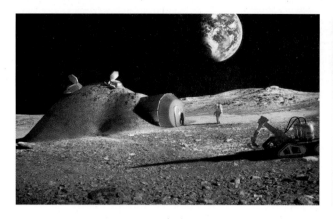 

[답안 작성]

[모범답안]
• 온도를 일정하게 유지해 주는 장치
• 산소를 공급하는 장치
• 기압을 일정하게 유지해 주는 장치
• 헬멧을 썼을 때 외부와 통신할 수 있는 장치
• 식수를 공급할 수 있는 장치
• 움직일 때 힘들지 않도록 관절 부분에 주름이 많은 우주복
• 쉽게 찢어지지 않는 소재로 만든 우주복

[해설] 달은 지구와 달리 대기압이 작용하지 않고 산소가 없으며 태양열에 의한 극고온과 극저온의 환경이 반복되는 공간이다. 또한, 빠른 속도로 날아다니는 우주먼지와 각종 전자파 및 방사능 등이 우주인을 위협하고 있다. 따라서 달에서 입는 우주복에는 우리 몸을 보호 할 수 있는 최첨단 장치가 있어야 한다.

2. 아래 사진에서 한 개의 식물을 골라 식물의 생김새나 특징을 쓰고 생활 속에서 그 식물의 특징을
   이용하는 예를 쓰시오.

▲ 연잎

▲ 도깨비바늘 씨앗

▲ 단풍나무 씨앗

▲ 부레옥잠

[답안 작성]

[예시답안]
- 연잎 : 물방울이 맺히지 않고 동그랗게 뭉친다. 벽, 자동차, 운동화, 기능성 의류 표면에 연잎처럼 물이 맺히지 않고 흘러내리도록
  하면 젖지 않고 항상 깨끗한 상태를 유지할 수 있다.
- 도깨비바늘 씨앗 : 씨 끝부분에 가시 같이 짧고 날카로운 바늘이 사방을 향해 벌어져 있어 옷이나 털에 박혀 잘 빠지지 않는다. 도
  깨비바늘 씨앗을 본 떠 낚싯바늘이나 작살을 만든다.
- 단풍나무 씨앗 : 씨앗 양쪽에 날개가 있어 바람에 잘 날린다. 단풍나무 씨앗의 날개를 본 떠 헬리콥터 프로펠러를 만든다.
- 부레옥잠 : 아랫부분에 공기 들어 있는 공기주머니가 있어 물에 잘 뜬다. 튜브나 부표 등이 공기주머니를 이용한다.

[해설] 자연에서 볼 수 있는 디자인적 요소들이나 생물체가 가진 다양한 특성이나 기능을 모방하여 이용하는 것을 생체모방공학이라고
한다. 현재의 생체모방공학은 생체구조를 모방하여 새로운 물질과 물체를 만들고, 새로운 공학 시스템을 디자인하는 데 많은 도움을 주고
있다. 생체모방공학이 학문으로 정리된 것은 최근이지만 그 역사는 매우 오래되었다. 원시시대에 사용했던 칼과 화살촉 등의 사냥 무기
들은 짐승의 날카로운 발톱을 본떠 만들었다. 아주 옛날부터 다른 생물의 생활과 자연을 관찰하면서 필요에 맞는 지식을 얻어 적용함으로
써 생체모방을 하고 있었다.

③ 교육청 영재교육원, 영재학급 면접 평가 (5, 6학년)

수학

1. 아래 그림과 같이 크기가 같은 정사각형 2개와 직각삼각형 2개가 있다. 이 도형들을 모두 이용하여 각 도형의 변끼리 붙여서 만들 수 있는 새로운 도형을 10개 그리시오. (단, 돌리거나 뒤집어서 모양이 같으면 같은 도형으로 인정한다.)

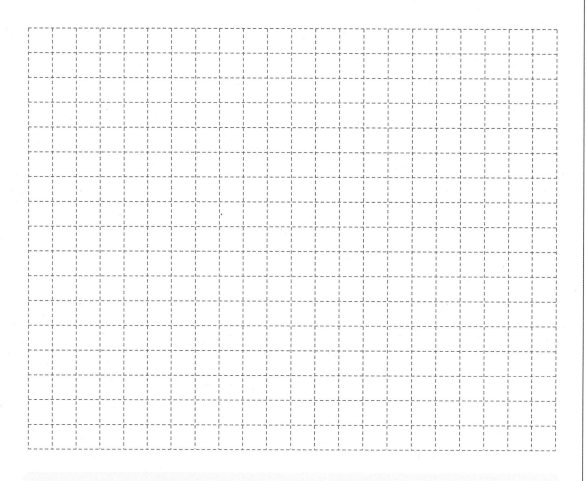

[예시답안]

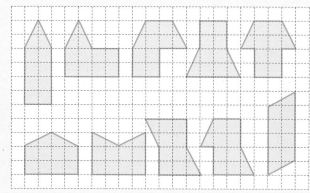

2. 다음과 같이 모퉁이에 사분원의 크기가 모두 같은 정사각형 모양의 타일이 30개 있다. 이 타일들을 배열하여 하나의 직사각형을 만들었을 때, 다음 〈조건 1〉∼〈조건 2〉를 만족하는 모양을 완성하고, 타일의 배열 상태와 각 정사각형의 모퉁이에서 만들어지는 원의 개수가 왜 그렇게 나타나는지 이유를 쓰시오.

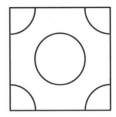

〈조건 1〉 타일을 배열하여 직사각형을 만들 때 남는 타일이 없어야 한다.

〈조건 2〉 배열 상태가 달라도 만들어지는 원의 개수가 같으면 같은 것으로 인정한다.

[답안 작성]

[모범답안]

배열 상태	2×15	3×10	5×6
원의 개수	14개	18개	20개

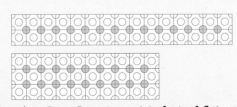

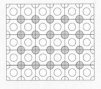

배열 상태에 따라 나타나는 원의 개수는 배열된 타일의 가로와 세로의 개수에서 각각 1을 뺀 것을 곱한 것과 같다. 4개의 타일이 모여야 모퉁이에서 1개의 원이 만들어지고, 여기에 가로 또는 세로로 2개의 타일이 더해지면 모퉁이에서 원이 1개씩 늘어나기 때문이다.

1. 다음은 국립공원 대피소 이용 안내에 대한 내용이다.

> 산악 대피소는 악천후를 만나거나 몸이 아파 산행을 진행하기 힘들 때 대피하는 장소이다.
>
> • 대피소는 고산지대에 위치하여 물 공급이 원활하지 않고, 근처의 샘에서 나오는 지하수는 식수 공급과 자연 보호를 위해 세면, 양치질, 설거지 등을 제한한다.
>
> • 쓰레기는 되가져가야 하므로 비닐봉지를 준비하고 쓰레기가 많이 발생하지 않는 음식물을 준비해야 한다.
>
> • 여름철에는 우의나 우산을 준비하며, 겨울철에는 꼭 방한 장비를 준비해야 한다.
>
> • 안전사고에 대비해 야간 조명등을 준비해야 한다.

안전을 담당하는 공학자로서 새로운 산악 대피소를 설계하려고 한다. 산악 대피소를 만들기 위한 설계 요건을 5가지 쓰시오.

[답안 작성]

[예시답안]
• 에너지 문제 해결 : 태양에너지를 이용한 발전기를 설치하여 야간에 조명을 켜고, 겨울철에 난방을 할 수 있도록 한다.
• 식수 문제 해결 : 빗물 정화 장치를 설치하여 빗물을 식수로 활용할 수 있도록 한다.
• 폐기물 문제 해결 : 음식물 쓰레기 등의 폐기물 처리를 위한 시설을 만들어 환경 오염을 막을 수 있도록 한다.
• 시설의 규모 문제 해결 : 바람, 눈 등의 악천후에 대한 시설의 안전성을 고려하여 그 규모를 정하도록 한다.
• 생태계 문제 해결 : 생태계에 영향을 덜 주기 위해 고산지대의 나무와 친환경 소재를 사용하도록 한다.
• 조난자 구조 문제 해결 : 조난자의 구조가 쉬울 수 있도록 접근이 가능한 장소에 설치하도록 한다.

[해설] 대피소는 비상시에 대피할 수 있도록 만들어 놓은 곳으로 취사 시설, 연료, 침상과 같은 편의시설이 없으며, 간단한 구조의 가막사 형태를 지닌 구조물이다. 북한산 대피소나 한라산의 진달래 대피소가 이런 형태의 구조물이라 할 수 있다. 대피소는 인적이 드물고 위험성이 높은 지형에 설치되어 비상시에 이용할 수 있도록 만들어야 하지만 몇몇 대피소는 이런 조건이 무시된 채 위치 선정이 잘못되어 대피처의 기능을 제대로 못 한다. 또한, 현재 우리나라 국립공원의 대피소들은 본래의 취지와는 달리 산장처럼 운영되는 곳이 많다.

2. 그림은 육식동물과 초식동물의 소화관을 나타낸 것이다. 육식동물과 초식동물의 소화관 전체 길이, 작은창자의 길이, 큰창자의 길이를 비교하고, 그 이유를 과학적으로 4가지 쓰시오.

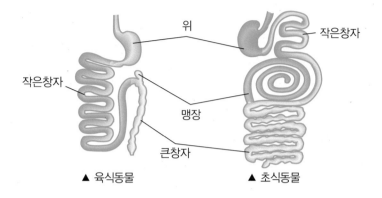

▲ 육식동물　　　▲ 초식동물

[답안 작성]

[모범답안]
- 육식동물은 초식동물보다 작은창자가 길고, 큰창자는 짧고 반듯하다. 소화관 전체 길이는 짧다.
- 초식동물은 육식동물보다 큰창자가 길고 특히 맹장이 발달했다. 소화관 전체 길이는 육식동물보다 길다.
- 초식동물의 먹이인 풀은 소화가 잘 되지 않아 분해하는 데 오랜 시간이 걸리므로 소화기관 안에 음식물을 오래 두기 위해 소화관 전체 길이가 길다. 반면, 육식동물의 먹이인 고기는 쉽게 분해되기 때문에 소화관 전체 길이가 길지 않아도 된다.
- 육식동물은 고기를 부수지 않고 그대로 삼키므로 이를 분해하기 위해 상대적으로 작은창자가 큰창자보다 길다.
- 맹장에는 식물의 섬유질 소화를 도와주는 미생물이 살고 있으므로 초식동물의 경우 맹장이 매우 발달해 있고 길다.
- 고기는 오랜 시간 동안 소화기관에 머물면 체내에서 부패하기 쉽고 독소가 생산되어 간과 신장에 부담을 주기 때문에 소화가 덜 된 고기 찌꺼기 등을 신속하게 체외로 내보내야 하므로 육식동물의 큰창자는 짧다.
- 초식동물은 일반적으로 많은 양의 먹이를 먹기 때문에 이를 소화하기 위해 소화관이 육식동물보다 길다.

[해설] 육식동물의 경우 내장의 길이는 코끝부터 등뼈 끝까지의 길이의 3배 정도 되고, 초식동물의 내장은 몸길이의 12~20배 정도 된다. 초식동물은 물과 전해질, 비타민의 흡수와 함께 식물섬유를 발효하기 위해 큰창자가 발달했기 때문이다. 토끼 등의 일부 초식동물은 맹장이 소화관의 40%를 차지한다.

수학

1. 왼쪽 표는 734×38=27892를 계산한 결과이다. 왼쪽 표의 계산방법을 설명하고, 오른쪽 곱셈식을 완성하시오.

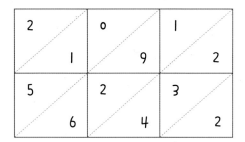

734×38 = 27892

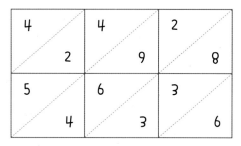

☐ × ☐ = ☐

[답안 작성]

[모범답안]

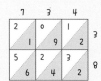

7, 3, 4, 3, 8을 순서대로 쓰고,
각 칸의 가로, 세로에 해당하는 수를 곱한 결과를 격자에 한 자리씩 쓴다.

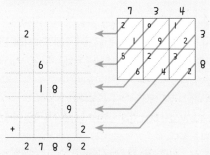

각 칸에 쓴 수를 화살표 방향으로 더한다.
더한 값인 2, 6, 18, 9, 2는 각각 만의 자리, 천의 자리,
백의 자리, 십의 자리, 일의 자리가 된다. 자릿값에
맞게 수를 더하면 27892가 된다.

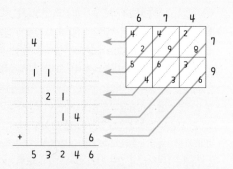

〈곱셈식〉 674×79 = 53246

[해설] 복잡한 곱셈식의 수를 격자에 차례대로 써서 쉽고 빠르
게 계산할 수 있는 방법을 격자 곱셈법이라고 한다.

2. 여섯 명의 사람이 서로의 정보를 공유하려고 한다. 두 사람이 통화할 때 상대방에게 자신의 정보와 앞서 통화한 다른 사람의 정보를 함께 전달한다고 할 때 여섯 명이 정보를 공유하려면 최소 5번 통화를 해야 한다. 이때 가능한 모형을 모두 그림으로 나타내시오. (단, 사람의 순서는 생각하지 않으며,   와 같이 닫혀있는 형태는 제외한다. 회전, 대칭하여 모양이 동일하면 같은 모형이다.)

[예시]

• ◯ : 사람, ◯—◯ : 두 사람이 서로의 정보를 교환

• 세 명이 최소 2번의 통화로 정보를 공유하는 경우의 모형 : ◯—◯—◯

• 네 명이 최소 4번의 통화로 정보를 공유하는 모형 : ◯—◯—◯—◯

[주의] 회전, 대칭하여 동일하면 같은 모형이다.

또한 ◯—◯—◯—◯ 는 같은 모형이다.

[답안 작성]

[모범답안]

1. 다음은 영희 일기의 일부이다. 물음에 답하시오.

시골에서 할머니가 잎이 달린 당근을 보내주셨다.
할머니의 정성이 들어 있어서 오랫동안 신선하게 보관해서 먹고
싶은데... 어떤 방법이 있을까?

당근을 오랫동안 신선하게 보관하는 방법을 네 가지를 쓰고, 과학적인 원리를 쓰시오.

[답안 작성]

[모범답안]
- 냉장고에 보관한다. : 곰팡이가 자라지 못하도록 온도를 낮추어 썩지 않게 한다.
- 잎을 제거한다. : 뿌리에 저장된 양분이 잎으로 이동하므로 잎을 제거하여 뿌리가 시들거나 썩지 않게 한다.
- 비닐 등으로 감싼다. : 수분이 날아가 마르지 않도록 한다.
- 과일과 함께 보관하지 않는다. : 사과나 바나나에서 나오는 에틸렌 가스가 식물의 노화를 촉진하기 때문이다.

[해설] 당근이나 무와 같은 뿌리채소는 흙이 묻은 상태로 살짝 흙만 턴 후 뿌리를 절단하지 않고 보관하는 것이 좋다. 채소는 수분이 증발하면 금방 시들기 때문에 신문지나 키친 타올에 물을 살짝 적셔 채소를 감싸 팩에 넣은 후 온도가 낮은 냉장고에 두면 보름 정도 보관이 가능하다.

2. 영재는 등산로가 잘 정비되지 않은 산으로 등산을 갔다가 길을 잃었다. 당황했지만 마음을 진정시키고 자신의 상황을 곰곰이 생각해 보았다.

> • 주위를 둘러보니 인기척이 느껴지지 않았다.
> • 휴대전화 배터리가 모두 방전되어 휴대전화를 사용할 수 없었다.
> • 손목에 바늘 손목시계를 착용하고 있었다.

영재가 이런 상황에서 산의 남쪽에 형성된 마을을 찾아가는 방법을 5가지 쓰시오.

[답안 작성]

[모범답안]
• 밤이라면 북극성이나 북두칠성이 있는 방향이 북쪽이다.
• 낮이라면 그림자의 위치 변화를 관찰한다. 그림자는 북쪽을 향하며 그림자는 서쪽에서 동쪽으로 이동한다.
• 낮이고 바늘 손목시계가 있다면 바늘로 방향을 찾는다. 시침이 태양을 향하게 하면 시침과 시계의 12시 방향이 이루는 각을 이등분하는 선이 남쪽을 가리킨다. (나뭇가지를 바닥에 수직으로 꽂고 시침이 그림자가 시작되는 부분을 향하도록 시침과 그림자를 일치시킨다. 이때 시침과 시계의 12시 방향이 이루는 각을 이등분하는 선이 남쪽이다.)
• 잘린 나무가 있다면 나무의 나이테를 관찰한다. 일조량이 적으면 나무의 성장이 느리므로 나이테의 간격이 좁은 방향이 북쪽이고, 넓은 방향이 남쪽이다.
• 나뭇가지나 나뭇잎은 일조량이 많은 곳에 많으므로 가지가 많이 뻗어 있거나 잎이 상대적으로 많이 달린 쪽이 남쪽이다.
• 이끼는 그늘지고 습한 곳에 서식하므로 이끼가 많이 있는 쪽이 해가 잘 들지 않는 북쪽이다.
• 봄이라면 북쪽 산 사면에는 진달래가, 남쪽 산 사면에는 철쭉이 주로 서식한다.

[해설] 산 인근 민가는 겨울철에 일조량이 많고, 산바람을 막아 보온성을 높이기 위해 남향으로 집을 짓는다. 따라서 민가의 창문이 향하는 곳이 남쪽이다.

공통

1. 쉬는 시간, 교실에서 친구들과 어울리지 못하는 친구를 도울 수 있는 방법을 이야기하시오.

[답안 작성]

[해설] 인성 면접 문제이다. 영재원에서는 대부분 팀으로 탐구하므로 갈등 해소 능력, 겉도는 친구를 포용하는 마음, 다른 사람의 감정을 공감하는 능력 등을 확인하는 질문이 많이 나온다. 미리 적절한 답안을 생각해 보는 것이 좋다.

2. 돌을 운반하여 돈을 버는 아프리카 아이들을 도와줄 수 있는 방법을 이야기하시오.

[답안 작성]

[예시답안]
• 여러 구호단체의 모금 활동, 기부, 후원을 통해 돕는다.
• 아프리카 어린이를 위해 편지를 쓴다.
• 아프리카의 상황을 주변 사람들에게 알린다.

[해설] 어른이 되어서 돈을 벌어서 도와주겠다는 생각보다 지금 내가 할 수 있는 작은 도움을 생각해보는 것이 좋다.

3. 조별 과제를 진행하는데 한 친구가 참여하지 않고 있다면 어떻게 할 것인지 이야기하시오.

[답안 작성]

[해설] 인성 면접의 경우에 영재원에서는 대부분 팀으로 탐구하므로 갈등 해소 능력, 겉도는 친구를 포용하는 마음, 다른 사람의 감정을 공감하는 능력 등을 확인하는 질문이 많다. 평상시 다른 사람을 배려하는 훈련, 나와 다른 점을 수용하는 마음 등을 길러 왔다면 충분히 답할 수 있다.

4. 실험실에서 우리 조만 다른 조와 다른 결과가 나왔다면 어떻게 할 것인지 이야기하시오.

[답안 작성]

[해설] 실험 결과는 가설에 맞게 변인 통제를 잘해야 옳은 결과를 얻을 수 있다. 우리 조만 다른 조와 다른 결과가 나왔다면 가설에 맞게 변인 통제가 잘 되었는지 확인해야 한다. 만약 변인 통제를 잘못하여 다른 조와 실험 결과가 다를 때는 다시 실험을 할 수 있는 시간과 여건이 된다면 변인 통제를 제대로 해서 실험을 하고, 다시 실험을 할 수 있는 시간과 여건이 되지 않는다면 변인 통제에서 실수한 부분으로 인한 실험 결과에 대한 실험 보고서를 작성한다.

5. 다음 글을 읽고 질문에 답하시오.

> 민수네 학급은 미술 시간에 협동화 그리기를 했습니다. 그러나 민수는 자기가 맡은 그림에 색칠도 안 하고 놀기만 했습니다. 끝날 시간이 되자 모둠 아이들은 마음이 급한 나머지 민수의 그림까지 함께 색칠해서 냈습니다. 선생님은 민수네 모둠의 협동화가 가장 멋있다고 칭찬을 해 주시며 모둠 원 전체에게 스티커를 한 장씩 주셨습니다. 모둠원들은 민수가 협동화 그리기는 하지 않고 장난만 치고 스티커를 받았다는 사실을 선생님께 말씀드려야 할지 고민했습니다.

모둠원들이 민수의 행동을 선생님께 말씀드려야 할지 말지에 대한 자신의 입장을 정하여 이야기하시오.

[답안 작성]

[해설] 모둠 활동에서 자주 발생할 수 있는 상황이다. 모둠 활동에서 주로 1명이 주도적으로 하고 1~2명이 참여를 하지 않는 경우가 발생하기도 한다. 협동화나 조별 과제 등을 해결할 때 참여하지 않는 친구가 생기면 대부분 한두 번 이야기 하고 그래도 참여하지 않으면 선생님께 말씀 드린다. 그러나 이번 상황은 민수에게 색칠하라고 이야기하는 사람도 없었고, 선생님께 말씀드리지도 않은 상황에서 민수를 빼고 협동화를 마무리했다. 모둠원들이 민수의 행동을 선생님께 말씀드린다면 모둠원들이 민수와 협동하려고 노력하지 않는 부분에서 모둠원들에게 준 스티커를 모두 회수할 수 있다. 또한, 선생님께 민수의 행동을 말씀드린다고 해서 민수가 다음부터 협동할 확률은 알 수 없다. 가장 중요한 핵심은 민수가 왜 협동하지 않는지에 대해 모둠원들이 고민 없이 민수를 무시한 부분이다. 따라서 선생님께 말씀드리는 부분보다는 민수와 협동하기 위해 어떻게 해야 하는 것이 좋을지에 대한 해결 방안을 이야기하는 것이 좋다.

6. 다음 글을 읽고 질문에 답하시오.

> 어느 초등학교에서 '꼴찌 없는 운동회'가 열려 많은 사람의 관심을 모았습니다.
> 이 학교에는 선천적으로 장애가 있는 학생이 있는데 운동회 달리기 때마다 항상 꼴찌로 들어왔습니다. 하지만 이날만큼은 먼저 달려가던 5명의 친구가 장애 친구에게 다가가 손을 잡고, 함께 결승선을 통과하여 1등 도장을 받았습니다. 이것은 미리 계획된 것으로 항상 꼴찌를 한 이 학생에게 선생님과 친구들이 준 초등학교에서의 마지막 운동회 선물이었습니다.

위 초등학교 학생들의 행동에서 본받을 점을 2가지 이야기하시오.

[답안 작성]

[해설] 장애가 있는 학생을 배려한 친구들의 깜짝 선물은 많은 사람에게 감동을 줬다. 많은 학생은 '나도 장애가 있는 친구를 배려하겠다.', '우리 주변에 도움이 필요한 친구가 있으면 도와주겠다.'와 같은 생각을 하고 이야기를 할 수 있다. 그러나 이런 이야기는 진정성이 없는 답변이라고 할 수 있다. 누구나 알고 있는 내용이지만 실천하는 사람은 많지 않다. 따라서 현재 내 주변에 있는 친구 중 도움이 필요한 친구가 있으면 글에 나온 친구들처럼 구체적으로 어떻게 도움을 줄지 아이디어와 함께 답변하는 것이 좋다. 꼭 신체적인 장애가 있는 친구가 아니더라도 정신적 장애가 있는 친구, 전학 온 학생이라서 도움을 필요한 친구 등이 있으니 예를 들어 이야기하면 좋을 것이다. 또한 면접관은 합격시켜 함께 수업하고 싶은 학생에게 좋은 점수를 준다는 것을 꼭 기억하고 예상 답변을 생각하는 것이 좋다.

관찰추천제 사용설명서

영재교육원 영재학급 관찰추천제 대비

안쌤의
「창의적 문제 해결력」 수학 과학 공통

모의고사

① 모의고사[4회]

- 최근 시행된 전국 관찰추천제 **기출 완벽 분석 및 반영**
- 서울권 창의적 문제해결력 **평가 대비**
- 영재성검사, 학문적성검사, **창의적 문제해결력 검사 대비**

② 평가 가이드 및 부록

- 영역별 점수에 따른 **학습 방향 제시와 차별화된 평가 가이드** 수록
- 창의적 문제해결력 평가와 면접 기출유형 및 예시답안이 포함된 **관찰추천제 사용설명서** 수록

안쌤의
「창의적 문제 해결력」

모의고사 14문항 구성

전국 영재교육 대상자 선발
관찰추천제 유형에 따른 맞춤형 문항 구성!!

문항 구성		창의적 문제해결력 평가	영재성검사	학문적성검사	창의적 문제해결력 검사	창의 탐구력 검사
수학	사고력 4문항	●	●	●	●	
	창의성 2문항	●	●		●	●
	STEAM 1문항	●	●	●	●	●
과학	사고력 4문항	●	●	●	●	
	창의성 2문항	●	●		●	●
	STEAM 1문항	●	●	●	●	●

안쌤의
창의적 문제해결력 시리즈

안쌤의
줄기과학 시리즈

3-1 **8강** 3-2 **8강**   4-1 **8강** 4-2 **8강**

5-1 **8강** 5-2 **8강**   6-1 **8강** 6-2 **8강**

물리학 24강   **화학 16강**   **생명과학 16강**   **지구과학 16강**   **물리학 워크북**   **화학 워크북**